譚敦慈的
安心生活

Health Life

最放心的「衣住行」守則 ╳ 出入 ╳ 居家安全 ╳
外出指南，打造不生病的身體！

圖典

譚敦慈 著

suncolor
三采文化

全方位健康
安心的生活

譚敦慈

越簡單，越無毒

近年來受新冠肺炎疫情影響，現代人對健康生活更加渴求，也常會互相分享保健資訊。隨著網路迅速發達，大家獲得資訊的管道也更多，相信很多人都曾收到朋友傳送的健康資訊，有時卻是真假難辨。每次看到網路上流傳錯誤的消息，或者似是而非的觀念，我其實非常憂心。林杰樑醫師以前就常叮嚀大家如何減少毒害，這幾年我也常在媒體或演講時分享無毒生活，希望能幫大家建立正確的觀念。其實，大家都把健康的生活想得太過複雜，越簡單的方式，才能越無毒。我自己奉行「充足睡眠、適度運動、均衡飲食」等作法，將這些原則落實於生活中，才是好好愛惜自己身體的方式。

隨著環境不斷變遷，健康的生活之道也應該與時俱進，例如這二年受新冠疫情影響，我們的生活也發生前所未有的變化，隨時隨地做好防疫措施，才能過得更健康。如何預防傳染病，是現代人共同的課題，新冠疫情總有過去的一天，但不同的病毒或細菌還會不斷接踵而來，學會在這樣的環境下自保，就可以度過難關。

做好準備，在家外出都平安

大家常說：「家是最溫暖的避風港」，每當忙碌了一天回到家裡，就是最放鬆、最幸福的時刻。不過，很多人不知道，其實家裡也是到處充滿有害物質，並且危機四伏，一不小心就會有意外發生。此外，當天災人禍來臨時，居家安全也會受到考驗，正確逃生才能保命。而親密的相處時光，有助於提升家庭幸福，經常和家人出遊也是很重要的事。出門在外可能發生各種意外，若能事先了解危險性及求生資訊，就能多一份保障。

因此，這本書不只是分享我自己的心得，也請教了台北市消防局任職的林建毓先生如何落實居家安全，並且邀請台北市消防局教官吳勇儀教官教導大家到野外遊玩時如何做好安全措施。

不只是無毒生活，更希望能擁有健康、安全，期望這本書能帶來最新、最正確的觀念，讓大家隨時隨地都能過得更加安心。

本書使用説明
How to Use

譚老師
私房技巧

各篇、分類、
索引

本篇重點整理

實際圖解示範

針對不同類型物品，掌握整理要領及必要項目。

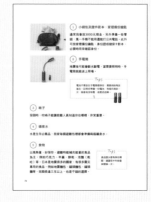

針對準備項目，提供細心建議，時時守護全家人的安全。

跟著圖片步驟，
輕鬆完成！

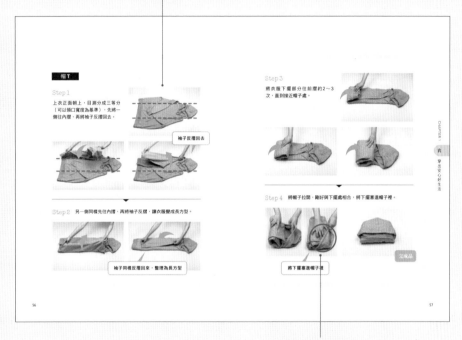

帽T

Step1
上衣正面朝上，目測分成三等分
（可以領口寬度為基準），先將一
側往內摺，再將袖子反摺回去。

袖子反摺回去

Step2 另一側同樣先往內摺，再將袖子反摺，讓衣服變成長方型。

袖子同樣反摺回來，整理為長方型

Step3
將衣服下擺部分往前摺約2～3
次，直到接近帽子處。

Step4 將帽子拉開，剛好與下擺處相合，將下擺塞進帽子裡。

將下擺塞進帽子裡

完成品

56

57

清楚明確的標示，
輕鬆學會！

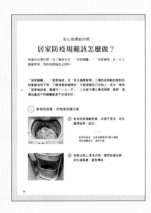

安心指標給你問

居家防疫規範該怎麼做？

針對常見問題，
提供安心指標的
專業建議。

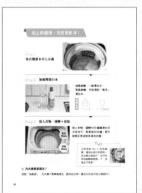

加上前處理，洗衣更乾淨！

專欄分享更全面
的無毒家事祕
訣！

目錄／

作者序｜全方位健康、安心的生活 04

使用說明 06

CHAPTER 0

當抗病毒成為生活常態

面對疫情，重新省思生活方式 12

防疫新生活28招預防傳染病散播 14

○ 守護全家安心的5個原則 15

○ 維持健康的4個習慣 20

○ 讓飲食安心的5個原則 21

○ 4大觀念，吃對了就安心 24

○ 5個習慣，病毒不上身 26

○ 社交安全的5個新禮儀 30

安心指標的防疫好工具 酒精＆漂白水 32

安心指標給你問 居家防疫規範該怎麼做？ 34

CHAPTER 1

衣／穿出安心好生活

衣物如何安心挑？ 42

○ 3大原則，穿衣好安心 43

衣物如何安心洗晾？ 45

○ 7大重點，洗衣更乾淨 46

○ 加上前處理，洗衣更乾淨！ 48

○ 4個原則，晾衣好安心 49

○ 加上後處理，洗衣更安心！ 50

衣物如何安心收納？ 51

○ 4大觀念，收納好輕鬆 52

○ 1/3摺衣法，衣服、棉被都能這樣收！ 54

一般衣服／帽 T ／棉被

○ 4個小技巧，收納不受潮 62

○ 包包這樣收，壽命更長久！ 63

安心指標的專業分享 視需求選擇機能衣 64

安心指標給你問 止汗劑如何安心用？ 66

CHAPTER 2

住／令人安心的家空間

如何打造令人安心的家？ 70

三大居安思危常備包 71

○ 地震包／防疫包／居家醫藥箱 71

守護全家的必要防災觀念 78

○ 製作家庭逃生計畫 79

○ 逃生避難要領：地震／火災 80

○ 家電安心挑 93

除濕機／空氣清淨機／掃地機器人／吸塵器／燈具

養成好習慣，居家清潔好輕鬆！ 100

○ 2大原則，讓你打掃更輕鬆 101

○ 居家空間清潔重點 103

客廳／浴廁／廚房／臥室／晾衣間／窗台

○ 如何管理及保存居家備品？ 118

安心指標給你問 化妝保養品如何選擇？ 119

譚敦慈老師心法 養成孩子自主管理術的小祕訣 120

CHAPTER 3

行／外出也能好安心

如何外出好安心？ 126

搭乘交通工具的無毒守則 127

自駕／計程車／大眾運輸工具／公用腳踏車或電動機車

野外出遊的安全防護 129

○ 一日／二日登山行程裝備 134

氣象／露營／溪邊或海邊／登山

○ 登山的3大緊急對策 137

當抗病毒成為
生活常態

面對疫情，
重新省思生活方式

新冠肺炎肆虐全球，這場襲捲全球的疫情，
其實帶來的衝擊不只是戴口罩、噴酒精變成生活常態，
實際的影響遠比我們想像得還大。

疫情的真相：不斷進化、變種的病毒及細菌

日常生活中早充斥著各種病毒及細菌，研究顯示因為氣候變遷、地球暖化、冰河融解，可能讓掩埋在層層凍土之下的病毒及有毒物質釋出，2014年法國的研究發現冰封3萬年的病毒在實驗室重新加熱竟復活。人類不斷的掠奪，大自然也一步步反撲，生態平衡遭到嚴重破壞，病毒、細菌等病原體也不斷增加及變種，流行病會越來越多。不只影響身體健康，對社會經濟的衝擊更是驚人。

全球拉警報：疫情影響民眾健康、社會經濟

新冠肺炎深深影響了全球，長期壟罩於疫情之下，各國失業率節節高升，不只為身體健康帶來威脅，對於經濟及社會發展都有顯著的負面影響。過去大家眼中的第一大強國美國，更因疫情紛紛停課，學生們只好利用網路遠距學習。全世界都因為疫情而改變了生活方式；而原本是防疫優等生的台灣，也忽然面臨了嚴峻的考驗，從政府到民眾，都進入了一個防疫新生活的狀態。

生活新型態：保持安全社交距離、健康的生活

隨時隨地用酒精消毒雙手、天天戴口罩出門、保持安全的社交距離，成為我們防疫生活的常態。但我想提醒的是，大家必須認知到新冠肺炎絕非特例。可能只是開端，下一波新疾病大流行隨時會來，千萬不能掉以輕心，而預防疾病最好的方式，就是在食衣住行各方面保持健康的生活，讓自己的身心保持在健康狀態，就是最好的防疫與生活方式。

28 招 預 防 傳染病 散 播

新冠疫情提醒了個人防疫的重要性。為了預防病毒傳播，戴口罩及勤洗手已落實在生活中，也讓腸病毒在2020年近乎銷聲匿跡，創下十年來感染人數最少的紀錄，如此好的生活習慣，應該繼續延續下去。

哪些好習慣，是守護全家健康的關鍵？

從戴口罩、勤洗手開始，這些都是能守護家人及自己身體健康的好習慣，除此之外，對於環境、社交禮儀，也有一些該開始學習、更新的好習慣！

Keep Safe

守護全家安心的5個原則

1 保持環境乾燥整潔

家裡盡可能保持空曠，不堆疊物品，若環境一目了然，就能看出哪些地方有髒汙或積水。沒有積水，便能避免蚊蟲或病菌孳生，降低感染源。

Tips

禽鳥類也是很多傳染病的媒介，若家裡有飼養，更要注意保持環境清潔乾燥。若帶小朋友到戶外，最好不要接觸或餵食禽鳥，杜絕傳染病的發生。

2 保持家裡通風

密閉空間會提高病毒傳染的風險，研究發現家中若有人感冒且門窗密閉，細菌病毒數量就會直線上升，建議家裡定時開窗，保持空氣對流。若是中央空調，記得定時換氣，冷氣通風口與濾網也要確實清洗。

減少油煙及煙霧傷肺

現今流行傳染病幾乎都是對肺臟的傷害最大，不要吸菸及吸電子菸。料理時不要以大火爆炒的方式來烹調食物，大量的油煙對呼吸道會產生刺激，長期下來可能引發肺部問題。烹調盡量採濕式料理，即蒸、滷、煮、不要乾式料理，即炸、烤、爆、炒，也要記得開抽油煙機。

Tips

香菸煙霧不近身！最好不要抽菸，即便是電子菸一樣會損傷肺部。

④

回家馬上洗澡換衣服

外出時，衣服及身上都可能沾染病菌，因此回家第一件事就是洗澡換衣服。或至少脫掉外套（使用P.18的外套「反脫」法），然後洗手、洗臉及漱口。

Tips

外出衣物若未更換，請不要直接躺床，床是讓人最放鬆的地方。盡可能保持床舖清潔，才能遠離病菌。

 5

以酒精或漂白水
稀釋消毒

小範圍消毒用75%酒精，包括手部、鑰匙及門把等。大範圍消毒用稀釋漂白水，包括客廳、地板等，建議用漂白水：冷水＝1：100比例稀釋後進行消毒。

小範圍消毒 ---▶ **75%酒精**

用於：
- ⊘ 手部
- ⊘ 鑰匙
- ⊘ 門把

大範圍消毒 ---▶ 漂白水

漂白水 **1**

───────

清水 **1000**

Tips

· 使用漂白水時請戴護目鏡、口罩及手套，保持通風，避免對身體造成傷害。

· 使用後的漂白水靜置24小時，待氯揮發完後再倒掉，才不會破壞環境。漂白水會殺死化糞池中的有機物菌類，使化糞池失去汙水處理功能，所以用過的漂白水不要直接倒馬桶。

CHAPTER 0

當抗病毒成為生活常態

譚敦慈的外出回家安心守則

OK 外套「反脫」法

① 一回到家，在玄關就將外套脫下。

② 將裡層往外摺。

③ 包裹住外層後，拿到陽台。

④ 將外套掛在陽台通風處，或是丟入洗衣籃待洗。

Tips

利用高溫殺菌消毒
烘乾機、蒸汽熨斗可幫衣服消毒。

● **紫外線燈的使用方式**

有些人會用紫外線消毒，使用時要注意以下4點：
①人畜不能在同一空間，更不能直視紫外線燈管。
②房內需乾淨不堆積雜物，打開櫃子、物品攤開。
③持續30分鐘（短暫接觸紫外線沒效果）。
④消毒後打開門窗通風。

無法水洗的皮衣

無法水洗的衣服（例如皮衣），可先用皮革專用清潔濕巾或酒精擦一擦，之後掛到陽台等室外通風處。

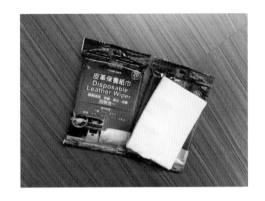

 皮包可用酒精消毒

皮包可先放在屋外的鞋櫃上，酒精消毒後再拿進屋裡。

● **洗手＋漱口，降低30％感染率！**

回家除了洗手之外，最好還要加上洗臉及漱口。日本有研究指出，除了洗手之外，若再加上洗臉、漱口，還可以減少感染率，這次新冠肺炎實驗發現漱口可減少重症的發生，但仍要提醒漱口是預防，不是治療的方法。

Keep Healthy 維持健康的4個習慣

① 保持運動習慣

規律、適度的運動可增加免疫力,建議選擇自己喜歡,做起來不勉強,可使心情愉悅,能持之以恆的運動,例如快走、騎腳踏車或游泳等。

② 喝足夠的水稀釋病毒

足夠的飲水量可以稀釋病毒,減少致病的可能性。就像感冒時,醫生都會要求你多喝水,因為可以加速新陳代謝。

③ 良好的睡眠

常熬夜會讓免疫力下降,建議上日班的人應十一點之前就上床睡覺。上夜班的人因日夜顛倒,更應做到睡眠充足才能提升對疾病的抵抗力。

④ 控制三高、維持理想體重

從SARS、流感到新冠肺炎,我們發現慢性病患及肥胖者較易感染、演變成重症或發生併發症。請勿恐慌,遵照醫囑按時吃藥,好好控制三高及維持理想體重即可。

讓飲食安心的 5 個原則

守宮木

異國食物、珍禽異獸都請小心

不要好奇去吃一些如蝙蝠、田鼠、穿山甲等，極有可能造成一些疾病。而異國食物很可能只適合當地人，好奇嘗試可能引發危險。例如馬來西亞常見的家常菜守宮木，過往曾有台灣人食用後出現呼吸困難、胸悶等中毒現象。

勿生食生飲

生食風險高，最常見的就是大腸桿菌及李斯特菌感染，像很多生菜就常被抽查出大腸桿菌超標。如果食物曾被感染或有寄生蟲，未經高溫烹調便容易「病從口入」。

青蔥、香菜請注意處理過程

青蔥、香菜等常見的調味料蔬菜，生食比例很高。過去曾發生食用青蔥感染A肝的案例，原因是處理青蔥的人有A肝，蔥花又未經烹調，吃了就容易致病。

蔬果也可能引致中毒，建議煮熟吃

除了微生物、病毒及寄生蟲，有些生鮮蔬果中的天然毒素也可能引致中毒。例如新鮮竹筍含「氰化葡萄糖」，四季豆、扁豆含「植物血球凝集素」及「皂素」，未烹煮或熟透，都可能造成食物中毒。菠菜、花椰菜、甜菜這些草酸鹽含量較高的蔬菜，也須汆燙後再食用才安全。

OK　生食請注意保存溫度

許多人喜歡吃生魚片、生菜沙拉，這些生食也有可能受寄生蟲、細菌汙染，嚴重可能致死。美國FDA跟歐盟都明確規定，生魚片須在攝氏零下35℃，冷凍20小時，或攝氏零下20℃冷凍七天以上，以達到低溫冷凍殺菌的效用，否則就須用63℃以上的溫度至少加熱5分鐘，尤其近幾年來海洋寄生蟲增加了2百多倍。

生魚片應以海魚為主，淡水魚因含「中華肝吸蟲」，易引發腹痛、厭食、發燒、肝腫大及黃疸等不良症狀，並不適合生食。2020年，中國曾有一名男子因身體不適就醫，檢查後發現膽管內藏有大量肝吸蟲，原來他有生食淡水生魚片的習慣，因此才造成感染。

③ 食物上桌馬上吃

研究指出食物端上桌約12分鐘左右，細菌數就會上升一倍，時間越長菌數滋生越多。建議大家食物上桌後就趕快享用，千萬不要給自己腸胃找麻煩。

④ 食物稍微放涼就冷藏

建議晚餐煮好後就先把隔天要帶便當的份量分裝出來，稍微放涼後，用手摸裝菜的容器（便當盒、鍋盤等），若感覺溫暖而不燙，即可放進冰箱冷藏。

等飯菜涼再裝便當？小心吃下細菌！

食物在攝氏60℃以下就會開始長菌，若等吃剩再裝便當，容易讓細菌大量繁殖！若是煮一大鍋湯，可先盛要吃的量，其餘放涼至溫暖不燙手時，即可冷藏。

感覺不燙手再喝

⑤ 熱飲易燙傷食道黏膜

世界衛生組織將65℃以上的熱飲列為可能致癌物，超過即有燙傷食道，刺激黏膜組織的疑慮，增加食道癌風險。無論喝熱飲或熱湯，請用手觸碰容器，溫暖不燙手再食用。

4大觀念，吃對了就安心

① 均衡飲食 提升免疫力

奉行少油少鹽少糖原則

飲食跟免疫力息息相關，建議奉行少油、少鹽、少糖的飲食原則，以多吃當季新鮮蔬果，營養均衡的方式來提升免疫力。

每日攝取足夠蛋白質

蛋白質是增加免疫力不可缺少的營養素，可以先算出自己的需求量，再從豆、魚、蛋、肉類等食物中，去獲取充足的優質蛋白質。

每人每日蛋白質的攝取量＝體重（公斤）×1.2公克
例如：50公斤的人，每天應攝取60公克的蛋白質。

◎常見食物蛋白質含量表

食物份量	蛋白質含量
一顆蛋（60公克）	6公克
一塊豆腐（300公克）	15公克
一份虱目魚（100公克）	22公克
一隻雞腿（100公克）	40公克

＊排序依蛋白質含量。

糖分會讓抵抗力下降

② **少碰甜食**

研究發現糖分會降低白血球活性，減少殺死病菌能力，高感染風險的時期，應減少甜食的攝取。

③ **多食用新鮮辛香料**

蔥、薑、蒜、洋蔥、辣椒、九層塔等辛香料，都具有超強的抗氧化力，對人體免疫力有益。滷肉時加入新鮮的辛香料，也可減少「氧化膽固醇」的產生。

④ **不依賴保健食品**

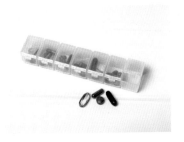

很多人以為吃保健食品具有提升免疫力的效用，還是均衡飲食最好，所以不要天天吃一大把保健食品，而三餐亂吃。

5個習慣，病毒不上身

① 落實手部三不政策

新冠肺炎之後，很多醫師皆呼籲要落實這三不。若有過敏症狀，最好確實吃藥來控制「癢」的症狀，以減少手部接觸。

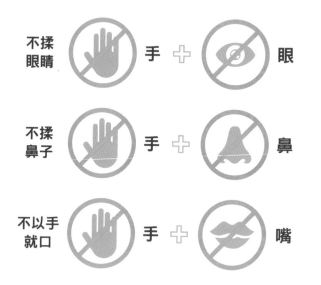

不揉
眼睛　　手 ✛ 眼

不揉
鼻子　　手 ✛ 鼻

不以手
就口　　手 ✛ 嘴

Tips

**譚老師經驗分享──
「三不政策」真的有效**

以我們家為例，我兒子小時候曾接連染上諾羅病毒及腸病毒，後來林醫師去查閱相關文獻，發現只要不揉眼睛及鼻子、不以手就口，就能大幅降低感染風險。此後，不揉眼睛、不揉鼻子、不以手就口，就成為我們的家規。

② 確實洗手40～60秒

正確洗手：內外夾攻大立腕

正確執行洗手口訣「內（手掌）、外（手背）、夾（指縫）、弓（指背）、大（大拇指）、立（指尖）、腕（手腕）」，整個過程須搓洗40至60秒才真正有效。

 內（手掌）

 外（手背）

 夾（指縫）

 弓（指背）

 大（大拇指）

 立（指尖）

 腕（手腕）

洗手時機很重要，事前事後都要洗

- 手髒了隨時洗。
- 備餐或用餐前，若碰到生食也要重新洗手。
- 如廁後。
- 離開醫院後。
- 搭乘大眾交通工具後。
- 工作後。
- 睡前洗雙手，預防無意識觸碰！

擦手巾勤更換，
亦可自備擦手紙

洗完手後若未將手擦乾，還有84%的細菌在手上。外出時可用擦手紙，在家則可用擦手巾。掛在浴室裡，一天更換一次，如果被水弄濕則應立即更換。

Tips

・家裡若有人生病，請準備兩種不同顏色的擦手巾，健康的人與生病者分開使用，同時記得兩條不要擺在一起，以免細菌交互感染。
・傳染病盛行時，不建議用公共烘手機，反而會增加細菌附著在手上。

③

搭交通工具須戴口罩

大眾交通工具屬於密閉空間，一定要戴口罩來保護自己及他人。戴口罩前最好先洗手，戴上口罩後請將口罩鼻翼固定，與臉部密合。

Tips

若外出去過醫院或人潮多處，口罩易受汙染，離開後就應更換口罩。口罩有味道或濕了也要更換。

④ 不要共用化妝品

不管是唇膏、睫毛膏或眼線筆，絕對不要共用。這些化妝品在使用時會接觸嘴部及眼結膜，也是新冠肺炎傳染的途徑，因此要特別小心。

Tips

中國大陸曾發生共用這類化妝品，造成霉菌感染的案例，台灣也有借用唇膏染上皰疹的例子，不可不慎。

⑤ 沖馬桶加蓋

建議如廁後蓋上馬桶蓋再沖水，避免排泄物及細菌四濺。若在外如廁，務必戴好口罩，建議選有馬桶蓋的坐式。若只有蹲式，建議等前一個人如廁後，沖水聲停止後再進去。

善用坐墊紙、消毒液

建議使用廁所裡提供的消毒液或酒精噴馬桶坐墊，可用坐墊紙或將衛生紙鋪在坐墊上如廁。如廁後擦乾坐墊周邊並整理，蓋上馬桶蓋再沖水。

Safe Distance 社交安全的5個新禮儀

① 保持社交距離

防疫指揮中心公布，人與人之間應保持安全的社交距離，室外為1公尺，室內則為1.5公尺，即兩人同時打開一隻手，2隻手加起來的長度。

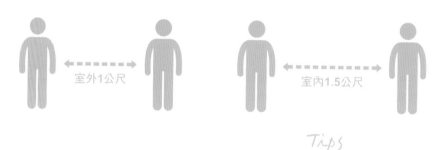

室外1公尺　　　　　　　　　室內1.5公尺

Tips

如遇有呼吸道症狀者，必須保持2公尺以上距離，同時一定要戴口罩才安全。

② 拱手代替握手

以前大家會用握手來相互問候，防疫起見，建議「以拱手代替握手」，用「手肘碰手肘來取代擊掌（give me five）」，同樣能展現出禮貌與善意。

② 咳嗽打噴嚏遮口鼻

流行病多透過飛沫傳染，比起用手遮掩，使用手肘或手帕、紙巾，飛沫射程的範圍大為縮短，更能有效防止病菌散播。（亦可像我兒子用衣領搗口鼻）

以往大家咳嗽或打噴嚏時，可能會用「手」去遮，但實驗證實飛沫的射程還是很遠，而且若沒有確實洗手，手上的病菌還可能傳給別人。

③ 公筷母匙加分餐制度

研究顯示，用餐時若沒有採公筷母匙，菜品落菌數最高多出250倍。最好再搭配「分菜」制度，記得分餐不說話，避免飛沫噴濺。不管在家或外出都適用。

④ 勿在賣場試吃

賣場試吃食品的容器大都屬於開放式的，人潮來來往往很容易留下飛沫，建議盡量不要試吃。

酒精 & 漂白水

酒精與漂白水均是適合用來殺菌消毒的防疫好工具,兩者能使用的範圍及功能亦有所差異,一起來聽聽專家分享如何正確使用吧!

漂白水

優點

○ 對細菌或病毒都有很好的殺菌效果。

○ 價格便宜,適合用於居家環境消毒。

使用重點

① 記得擦拭採同一方向,不要來回擦。

② 稀釋只能用冷水,不要與酸性清潔劑併用,如鹽酸。

③ 須稀釋再使用,建議稀釋比例如下。

① **一般環境消毒**(1:100稀釋)

5%含氯漂白水　　　　冷水
10c.c　　　　　　　1000c.c

② **清潔浴室或馬桶**(1:10稀釋)

5%含氯漂白水　　　　冷水
10c.c　　　　　　　100c.c

使用後的漂白水靜置24小時,待氯揮發完後再倒掉,才不會破壞環境。

酒精

優點

能溶解病毒的外套膜，使其脫水衰亡，因此對有外套膜的病毒如新冠病毒，能發揮良好效果。

◎ 酒精對哪些細菌殺菌有效？

有效	無效
冠狀病毒、流感病毒、呼吸道融合病毒、麻疹病毒、腮腺炎病毒、皰疹病毒、B型肝炎病毒。	腸病毒、諾羅病毒、腺病毒、人類乳突病毒、鼻病毒、克沙奇病毒、A型肝炎病毒。

使用重點

① 挑對酒精

酒精濃度並非越高越好，濃度75%的酒精殺菌效果最佳，而95%的酒精則是用來乾燥用的。

② 善用乾布提升殺菌效果

若用酒精消毒桌面，記得噴之前先用乾布擦掉髒汙處或水，之後再噴灑酒精，讓酒精均勻散布在桌子表面上，靜待其揮發即可。

75%—殺菌用　　95%—乾燥用

> 酒精消毒手部，一樣要做到「內、外、夾、弓、大、立、腕」，讓酒精均勻分布到手上，才能有效殺菌。

居家防疫規範該怎麼做？

病毒具有潛伏期，為了確保安全，「居家隔離」、「居家檢疫」及「自主健康管理」等防疫措施是必要的。

「居家隔離」、「居家檢疫」及「自主健康管理」三種防疫規範的限制及對象都有所不同，了解清楚詳細規定，才能保護自己及他人。其中，唯有「居家隔離者」應遵守「一人一戶」，入住家中獨立專用房間、套房、頂樓加蓋或不同樓層都是不合規定的。

① 家有防疫者，衣物清洗請注意

✅ 家有防疫規範對象，衣物不混洗，或先處理後再一起洗。

Tips

家有防疫者，垃圾或廢棄物也要分開處理並確實密封，避免外露。

✅ 若無法馬上清洗衣物，請用容器收納，放在通風處，避免傳染。

✅ 清洗前，先用60℃以上的熱水浸泡，達到殺菌效果。

漂白水　　雙氧水

✅ 白色衣物用漂白水、彩色衣物用雙氧水消毒。

Tips

常見的彩漂用漂白水即含有雙氧水，可針對彩色衣物使用。

② 避免進出這些易感染的場所

根據史丹福大學的研究，最容易感染新冠病毒的場所為酒吧、健身房及咖啡廳、餐廳等，因為民眾在這些地方的距離較近，待的時間較長，感染風險也會隨之提高。如果能有效限制這些場所的入場人次，感染的風險就會跟著降低。

◎ 三種防疫規範的限制及對象說明

	居家隔離	居家檢疫	自主健康管理
對象	曾與確診個案接觸者	自外國入境者	① 為通報個案但已檢驗為陰性，並且符合解除隔離條件者。 ② 特別通知對象（例如連假曾至人潮擁擠處）。
限制	14天內，任何理由皆不可外出。		① 14天內盡量避免外出。 ② 如外出須配戴口罩，但應避免至公共場所或搭乘大眾運輸工具。 ③ 禁止外出用餐或聚會，建議外帶食物回家食用。 ④ 家用餐請遵守公筷母匙，最好分成單人份餐食用，避免交叉感染的風險。
注意事項	① 避免與家人接觸及共用家具或設備。 ② 日量體溫，確實回報健康情形。 ③ 有症狀先撥打1922，切勿自行就醫。		① 每日量體溫自我監控身體狀況。 ② 有症狀先撥打1922，依指示戴口罩就醫。
監測方式	衛生機關每日電話追蹤2次、與手機監控。	里長、里幹事每日電話追蹤1次、手機監控。	無
違反罰則	最高罰款100萬元，並且強制集中檢疫。		無

③ 非出入不可？這樣做，保護自己與家人！

若一定要出入健身房、餐廳等場所，建議最好選擇人數較少的時段前往。若是到健身房，建議用公共器材或設備前先以酒精消毒，同時避免碰觸眼睛及口、鼻。自備飲用水、毛巾及瑜伽墊等，若是使用了公用的物品，回家後請馬上洗澡。

④ 打疫苗注意事項（有發燒感冒症狀，勿急著施打）

- ◇ 施打前均衡飲食，充足睡眠。
- ◇ 打完疫苗不要揉。
- ◇ 不要飲酒；無限制水分攝取者多喝水。
- ◇ 不要劇烈運動。
- ◇ 打針局部疼痛，可冰敷一下。
- ◇ 可以預先請1～2天的疫苗假休息。（通常不適應症狀2～3天內會緩解，3天後無緩解需就醫。）
- ◇ 施打後也要均衡飲食。
- ◇ 發燒可以依醫囑服藥。

衣／

穿出安心好生活

快速索引

choose

衣物如何安心挑？——— P.42

衣物如何安心洗晾？——— P.45

Wash and Dry out

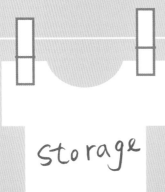

storage

衣物如何安心收納？———— P.51

圖解步驟往這走 ▪▪▪▪➔

✅ 洗衣前處理 ——— P.48

✅ 洗衣後處理 ——— P.50

✅ 1/3摺衣法｜一般衣物、帽T、棉被／被單 ——— 54

✅ 包包這樣收，壽命更長久 ——— P.63

衣物如何(安)(心)(挑)？

一般人挑選衣服可能會考慮的是款式喜不喜歡，剪裁好不好或顏色適不適合自己，卻常忽略了衣服材質或顏料染色等，才是影響健康最重要的因素，而簡單、安全，是我們家挑選衣服最重要的原則。

如何挑選安心衣物？

我們可以從材質、產地、氣味、觸感等原則來挑選衣物，下頁將詳細說明。

材質　　産地

choose

氣味　　觸感

choose 3大原則，穿衣好安心

首選
棉質

① 材質及產地

純棉是天然植物纖維，質地柔軟不傷肌膚，吸汗效果很好，穿起來比較舒服，衣物盡量選純棉，較舒適。

Tips

請注意若產地是較落後的國家，可能為了節省成本添加對身體有害的化學物質。

② 選純白或素色

衣服太鮮豔或太潔白可能是添加了螢光劑，長期接觸肌膚，毒素容易累積在肝臟。需要消毒殺菌的衣物如內衣褲或是襪子，我通常會選擇方便用漂白水的白色。

③ 氣味及觸感

衣物味道刺鼻可能是添加過多化學物質，有魚腥臭則可能含甲醛，即便劑量不高，長期接觸仍可能引發過敏，甚至是白血病等問題。過去常驗到衣服含壬基酚，也要注意。

Tips

壬基酚是環境荷爾蒙，會影響男性生殖能力。

NG 紗類衣物不吸汗

紗類等人造材質較不透氣、不吸汗，汗水易悶在衣服跟皮膚之間引起過敏。若要穿，建議裡面再搭一件排汗材質的衣服，比較舒服。

NG 顏色或圖案複雜

顏色鮮豔的衣服雖吸引人，但較易殘留毒素。有些布料在製程中，會先用NPE（壬基酚聚氧乙烯醚）洗過，讓染色更鮮豔。或有一些卡通圖案，易有重金屬問題。小孩的器官未發育完全，此類衣服危險性高，請小心。

衣物如何安心洗晾？

衣服容易藏汙納垢，如果沒有好好清洗、好好晾乾，不只細菌會殘留在上面，也可能發出難聞異味或霉味。其實只要加一些小技巧，洗晾後的衣服就可以穿起來安心又舒適。

如何正確洗晾衣物？

剛買來的衣物、平常穿的衣物，都有必須牢記在心的安心洗晾原則，以下將詳細說明。

穿前先洗

烘乾

Wash and Dry out

安心洗

正確晾

7大重點，洗衣更乾淨

① 購回後先浸泡及洗滌

衣服上的有毒物質，可透過浸泡及洗滌溶解出來，任何新衣物皆應先下水浸泡及洗過後再穿，降低肌膚接觸有毒物質的機率。

② 穿過盡快洗

穿過的衣物，尤其是流過汗的，若沒有盡快洗易發出臭味。我家是一天洗白色衣物，一天洗花色衣物，而未洗的衣服務必保持乾燥，放在通風處，若有沾濕要馬上清洗。

白色　花色

③ 依顏色分類

將衣服用「白色」及「花色」來區分，脫下之後分別丟進不同的洗衣籃，洗滌時也是分開洗。

7分滿

④ 洗衣機放七分滿

洗衣槽裡的衣服建議放至七成滿即可，如果塞得太滿，會沒有空間讓衣服翻轉、攪打，也會因為有死角，讓衣服洗得不夠乾淨。

⑤ 洗潔劑選有環保標章

市面上的洗潔劑品牌眾多，訴求的效用也都不盡相同，建議使用功能越單純、有環保標章的洗衣精越好，對環境比較友善。

⑥ 洗潔劑用建議量的七成

洗衣精並非用量越多，去汙的效果就越好，若有經過消毒漂白等前處理步驟（請見後頁），衣服上的髒汙已大量減少，建議洗衣精只要使用建議量的七成即可。

> 太香的洗衣精可能造成塑化劑殘留，也不建議使用。

⑦ 高溫烘乾

高溫有助於有毒物質的揮發，建議新衣物最好清洗後再烘乾，對健康更有保障。此外，平時使用烘衣機也能避免發霉，並且讓衣物保持柔軟。

> 羊毛衣保暖且觸感柔軟，是冬天時的好選擇。我通常會選擇可水洗的「科技羊毛」，只要使用洗衣袋就能丟入洗衣機清洗，之後再平鋪、晾乾即可。

加上前處理，洗衣更乾淨！

Step 1
洗衣機蓄水至七分滿

Step 2　加稀釋漂白水

○ **白色衣物**：一般漂白水。
○ **花色衣物**：可彩漂的「氧系」漂白水。

稀釋比例

漂白水 **1** ： 清水 **1000**

Step 3　放入衣物，運轉＋浸泡

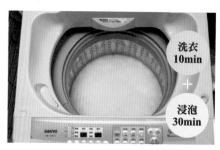

洗衣
10min
＋
浸泡
30min

放入衣物，運轉10分鐘讓漂白水分布均勻，再浸泡30分鐘。即可按照正常流程來清洗衣服。

Tips

可添加約10c.c.的洗碗精，增加去油汙的效用。若衣服沾到油汙，也可先用洗碗精局部搓一下，加強去汙效果。

● **內衣褲要單獨洗？**

搭配「前處理」，內衣褲不需單獨清洗，跟其他衣物一樣依白色或花色分類即可。

4個原則，晾衣好安心

① 多脫水一次

衣服上的水分越少，晾衣的時間越短，建議衣服從洗衣機拿出來之前，可以再多脫水一次水，之後再進行晾乾的動作。

② 半小時內晾乾

潮濕的洗衣槽，是細菌滋生的大溫床，建議衣服洗完後，應在半小時內拿出來晾乾，否則容易長菌。

通風處

③ 晾衣處要通風

陽台或窗外是晾衣服的首選，若不方便晾在戶外，選擇室內通風處也可以。

最多晾10小時

④ 勿在室外晾太久

現在空汙嚴重加上PM2.5數值高，空氣品質較差時最好不要將衣服拿出來曬。若在戶外晾曬太久，也容易受汙染及堆積落塵，建議晾10小時以內即可。

加上後處理，洗衣更安心！

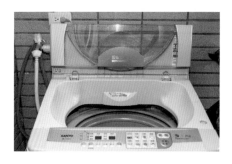

每次 **洗衣後蓋子打開**

洗完衣服之後，記得把洗衣機蓋子掀開來通風，否則潮濕的洗衣槽，再加上密閉的環境，特別容易長菌。

專用洗劑　小蘇打　漂白水

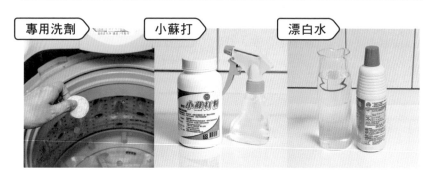

定期 **用洗劑清洗洗衣機**

洗衣槽差不多1、2個月就要清洗一次，使用專用洗劑、小蘇打或漂白水都可以。

加入漂白水，靜置一夜

定期 **蓄水後浸泡漂白水一夜**

在蓄滿水的洗衣槽中加入漂白水，靜置一夜之後再將水放掉，之後再用清水洗一次即可。

Tips

泡過洗衣槽的漂白水，也可以用來清洗陽台，才不會造成浪費。

衣物如何安心收納？

全家人的四季衣物加起來，可能會佔去家裡不少空間。衣服收納是一門學問，如果不得要領，可能會讓家裡變得凌亂、擁擠。讓衣櫃變得清爽的方法其實很簡單，趕快學起來，從此不再為收納衣服而困擾。

如何讓收納簡單又輕鬆？

除了全家人四季的衣物、配件等，包括棉被、圍巾等物件，通通可以用簡單的摺衣法來應對，以下將詳細解說。

斷捨離

一目了然

storage

分層分類

1/3摺衣法

4大觀念，收納好輕鬆

從斷捨離開始

維持簡單的生活態度，衣服包包都是有需要再添購。大約一二年可檢視一次家裡的衣物，很久沒穿的就捐出或送人，衣櫃才不會越塞越滿。

① 一目了然的原則

不要讓衣服塞滿衣櫃，或隨手把衣服亂塞一通，保持空間「一目了然」的原則，想找某件衣服時，才不會找不到。

Tips

善用真空壓縮袋
家裡衣物較多的話，建議使用真空壓縮袋來收納，較能有效活用衣櫃的空間。

② 依大小分類

摺好的衣物可根據種類及大小進行分類，例如上衣及褲子分開、體積差不多大的擺在一起，收納起來才會整齊。

夏衣

冬衣

③ 依季節分層收納

我家衣物沒有特別多，不需要隨季節變換將衣服收進去或拿出來。我的作法是一層放冬天的衣服，一層放夏天的衣服，衣櫃一拉出來就知道要穿哪件。

Tips

我家衣櫃的收納方式是「夏在上，冬天在下」，能清楚看見衣服擺放的位置。

1/3摺衣法，衣服、棉被都能這樣收！

一般衣物 （衣服、褲子、內褲、襪子皆適用）

Step 1　上衣正面朝下，目測分成三等分（可以領口寬度為基準），先將一側往內摺，再將袖子反摺回去。

袖子反摺回去

Step 2　另一側同樣先往內摺，再將袖子反摺，讓衣服變成長方型。

袖子同樣反摺回來，整理為長方型

Step 3　將衣服下擺部分往前摺約兩～三次，直到接近領口（記得預留領口往回摺一次的空間）。

Step 4　將領口反摺，剛好與下擺處相合，將下擺塞進領口裡。

完成品

● **善用不要的絲襪，收納厚重衣物！**

若是毛衣、大圍巾等厚重衣物，以及容易散開的皮帶，均可利用不要的絲襪，將其剪成一小段，像橡皮筋一樣用來套住摺好的衣物，才不會鬆脫。

①剪一小段。

②當作橡皮筋綁住或包裹均可。

帽 T

Step 1

上衣正面朝上，目測分成三等分
（可以領口寬度為基準），先將一
側往內摺，再將袖子反摺回去。

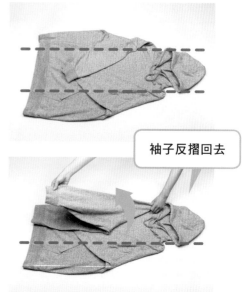

袖子反摺回去

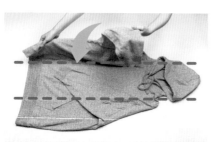

Step 2　另一側同樣先往內摺，再將袖子反摺，讓衣服變成長方型。

袖子同樣反摺回來，整理為長方型

Step 3

將衣服下擺部分往前摺約2～3
次，直到接近帽子處。

▼

Step 4　將帽子拉開，剛好與下擺處相合，將下擺塞進帽子裡。

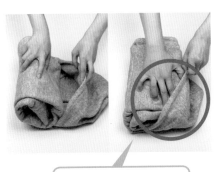

完成品

將下擺塞進帽子裡

棉被

Step 1

將棉被左、右二側依序往中間摺，讓寬度變成原來的1/3。

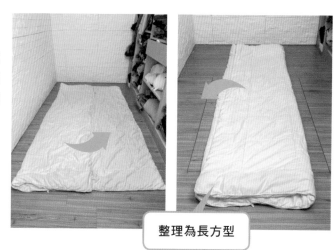

整理為長方型

Step 2

將一端摺起（請依最後想放入櫃中的大小調整）。

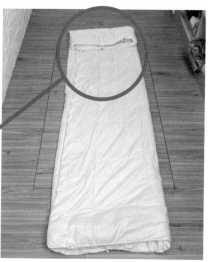

Step 3

從棉被另一端往回捲，最後塞進反摺處。

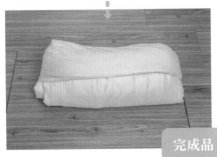

完成品

注意

● **動物成分不適合真空壓縮！**

羊毛、羽絨、蠶絲、鵝絨等含動物成分的被子，並不適合真空壓縮收納，否則下次再拿出來就不膨鬆了。

被單

Step 1

將被單左、右二側依序往中間摺，
讓寬度變成原來的1/3。

依序摺好

Step 2

整理為長方形後，將一端摺起（請
依最後想放入櫃中的大小調整）。

Step 3

從被單另一端往回捲，最後塞進反
摺處。

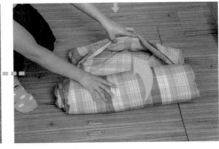

完成品

Tips

冬天的厚重衣物無法塞進領
口，就用絲襪包！

4個小技巧，收納不受潮

清洗後再收納

① 衣物清洗後再收納

若衣物未經洗淨及除濕，就直接收納，很容易滋生細菌及塵蟎，尤其是冬天的被單，最容易犯這個錯誤。

② 利用空調、除濕機除濕

夏天若開冷氣，我會在晚上睡覺時將衣櫃全部打開，利用空調一併除濕。其他季即則使用除濕機。記得房裡的動線要保持流暢，避免行走時撞到衣櫃的門。

關窗再除濕

③ 除濕時記得關窗

除濕時要將窗戶關起來，尤其是濕氣較重的梅雨季節，效果才會好。

④ 小空間使用除濕盒

較小的空間，例如鞋櫃等，也可以使用除濕盒，但要記得經常更換。不過基於環保的因素，我家裡比較不用這些東西。

包包這樣收，壽命更長久！

Step 1

先用濕布把包包擦乾淨，若是真皮材質，就要把布擰得很乾，然後再用乾布擦一次。

Tips

若有使用保養劑，可在最後用保養劑擦一下。

濕擦
1次

乾擦
1次

Step 2

包包內部塞一些紙除濕。

Step 3

用布包裹起來，即可放進櫃子裡跟衣物一起除濕。

Tips

同樣為皮質材料的皮衣，可在每次穿過後，先用濕布擦一次，再用乾布擦一次，之後掛在通風處即可。

視需求選擇機能衣

現在機能衣種類非常多，像是發熱衣、涼感衣或速乾衣等，建議視自己需求來選購，例如很會流汗的人可選吸濕排汗衣。購買機能衣前，最好先看清楚洗滌及保養方式，才不會因錯誤的處理方式而喪失原有的功能。

選購注意

購買機能衣一樣以能水洗為首要原則，洗滌前記得先看洗標，注意各種特殊材質的處理方式，才不會破壞原本的功能性。

清洗、收納注意事項

① **Groe-Tex外套**

✅ 以低溫烘乾。

❌ 勿用漂白水或柔軟精，以免破壞防水功能性。

② 保暖衣

- ⊗ 勿用漂白水,破壞保暖塗層。
- ⊗ 勿用柔軟精,因形成保護膜會影響衣服摩擦力,會降低保暖作用。

③ 羽絨衣

- ✓ 水洗後晾在通風處自然陰乾。
- ✓ 用中、低溫烘乾。
- ⊗ 勿用漂白水或柔軟精,以免阻塞衣料毛細孔降低透氣度。
- ⊗ 勿用真空袋收納,抽真空會讓羽絨斷裂。
- ✓ 沒乾透易發霉,收納前務必確認已全乾。

Tips

衣物乾洗後,可以直接穿?

乾洗劑已被證實會損傷人體健康,甚至可能致癌。過去曾發生小朋友躲在衣櫃裡玩,意外暈倒,竟是因為衣櫃裡有乾洗過的衣物。也曾有過小寶寶睡在乾洗過的蚊帳裡致死的案例。因此,若衣物無法自己洗,送洗拿回來後一定要將塑膠袋打開,擺放在陽台通風處,讓有毒物質揮發。

止汗劑安心用

台灣近年天氣悶熱的日子更多，止汗劑的使用也隨之變得頻繁。已有研究指出，長期在腋下塗抹含鋁止汗劑，可能增加罹患乳癌及骨質疏鬆症的風險，也會加重腎臟負擔。因此要特別注意勿過度使用，以免對健康造成威脅。

挑選

味道清淡為宜

不管是噴劑或滾珠型，挑選的原則都是香味不要太重，味道越清淡越好。

使用

洗完澡使用

止汗劑不是隨時補、隨時噴，使用時機只有一個，那就是洗完澡時擦乾後，而不是白天要出門的時候。

使用

不要盯著看

若使用噴劑型止汗劑時，噴的時候臉一定要轉開，千萬不要盯著看，否則化學物質易隨口鼻進入體內。

住／
令人安心的居家空間

快速索引

Emergency Kit

如何打造令人安心的家？
3大居安思危防備包 —— P.70

Escape Plan

守護全家的必要防災觀念 —— P.78

家庭逃生計畫

集合點

➡ 逃生路線1
➡ 逃生路線2

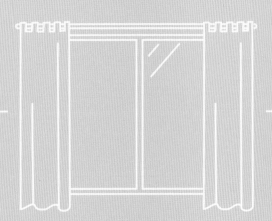

Good Habits

養成好習慣，清潔好輕鬆 —— P.100

特別說明、圖解步驟往這走 ▪▪▪➡

✅ 火場的特別注意事項 —— P.85

✅ 怎麼知道是否用電超過負載？ —— P.91

✅ GOOD vs NG用電器習慣 —— P.92

✅ 浴廁定期清潔 —— P.110

如何打造令人安心的家？

家，就像避風港，是讓人感到最安心、最舒適的場所。抱著「居安思危」的觀念，除了處處小心，還要做好防災準備，讓意外來臨時，能將傷害降至最低。

如何為家做最好的「居安思危」準備？

當災難降臨時，「緊急救難包」能發揮救命的關鍵作用，而根據不同的情況，準備的物品也稍有不同，以下將逐一說明。

安心的家

地震包

Emergency kit

防疫包

居家醫藥箱

Emergency kit 3大居安思危常備包

地震防災包

準備要領

- ⊘ 能「拿了就跑」，不能太大、太重或太複雜。
- ⊘ 品項根據各人不同的需求而更換。
- ⊘ 家裡每個人皆需準備一個。
- ⊘ 平時放在床頭，地震發生時可一抓就跑。

準備品項

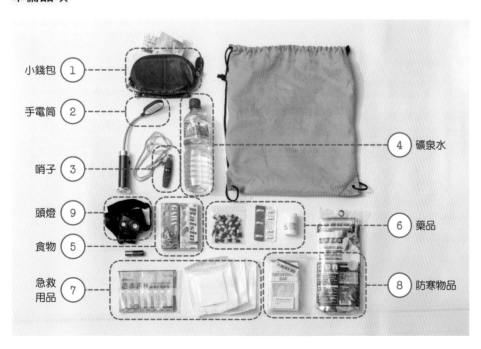

小錢包 ①
手電筒 ②
哨子 ③
頭燈 ⑨
食物 ⑤
急救用品 ⑦
④ 礦泉水
⑥ 藥品
⑧ 防寒物品

① 小錢包及證件影本、家裡備份鑰匙

通常我會放3000元現金，另外準備一些零錢，萬一手機不能用還能打公共電話。此外可放家裡備份鑰匙、身份證或健保卡影本，必要時用來確認身份。

② 手電筒

地震後可能會斷水斷電，當需要照明時，手電筒就能派上用場。

Tips

電池不要放在手電筒裡保存，需要用時再放進去。記得多準備一份電池，每個月測試一次，檢查有沒有電，或是否故障。

③ 哨子

受困時，吹哨子能讓救難人員知道你在哪裡，非常重要。

④ 礦泉水

水是生存必需品，我家每個避難包裡都會準備兩瓶礦泉水。

⑤ 食物

以高熱量、好保存，避難時能補充能量的食品為主，例如巧克力、羊羹、餅乾、泡麵（乾吃）等。日本是地震很多的國家，有很多震災專用的食品，例如地震麵包、罐頭麵包、罐頭麵等，效期長達三年以上，也是不錯的選擇。

Tips

食品跟水都有保存期限，建議每半年檢查與替換一次。

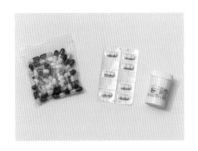

⑥ 藥品

慢性病患者應準備7天的藥品。

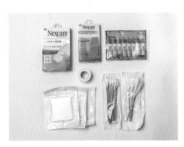

⑦ 急救用品

含滅菌紗布包、繃帶、生理食鹽水及衛生紙
等，萬一受傷時可用。

⑧ 防寒物品

可以用來保暖的整張鋁箔紙、輕便雨衣及暖
暖包，都是我家必備的物品，這幾項東西都
很輕巧，必要時也能馬上發揮防寒的作用。

OK 視需求增加這些品項！

●簡易瑞士刀

有螺絲起子、剪刀、刀
片等多種工具，逃生時
用途非常多。

●粗棉手套

地震時如遇碎玻璃、碎
石頭，戴上手套爬行可
保護雙手。

●頭燈

可視需求準備，在災害
發生時，有助逃生。

防疫隨身包

準備要領

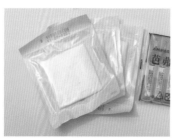 能夠隨身攜帶。

準備品項

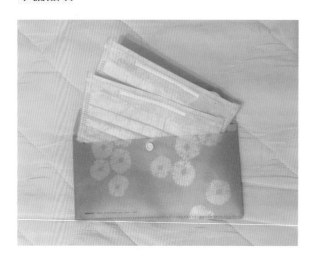

① 口罩

除了自己每天使用的份量之外，可多準備一個單獨包裝的口罩，若碰到咳嗽、打噴嚏又沒載口罩的人，可以請他使用。

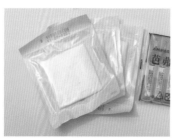

② 紗布

講話時的口水會弄濕口罩，降低防護功效，此時可用紗布（建議尺寸為3×3）墊在口罩裡，然後再戴上。此外，若口罩充足就不用了。

③ 酒精

75%的酒精，才具有殺菌及殺死新冠病毒的效用，若是使用「酒精擦」產品，須特別留意含酒精濃度是否達75%，市售很多產品未達標。

④ 攜帶型肥皂

公用廁所的肥皂或洗手乳容易細菌數含量超標，不妨自己準備攜帶型產品，例如肥皂紙、肥皂棒。

⑤ 廚房紙巾

放在桌上的物品，可能被別人的飛沫汙染，可在上面噴灑酒精，再用紙巾將酒精擦拭均勻，之後再將物品收進自己的包包裡。

⑥ 太陽眼鏡

可以預防飛沫跑到眼睛裡，經由眼結膜造成感染。

OK 肥皂紙、肥皂棒的正確用法

●肥皂紙
先取出肥皂紙放在手上，再用手掌圈起加水溶解。

●肥皂棒
先將雙手沾濕，再將肥皂棒塗在手上搓洗。

居家醫藥箱

準備要領

- ✅ 備藥主要用來緩解輕症，短暫使用，若有問題快就醫。
- ✅ 有輕微不適症狀或小外傷，可自行處理。
- ✅ 家中常備藥最好分門別類，放在孩童不易拿到的地方，也要注意保存期限。

＊若受傷較嚴重或不適感太久，還是須盡快就醫。

準備品項

內服藥

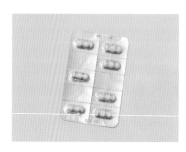

① 止痛藥

常見的成分有阿斯匹靈（Aspirin）、乙醯胺酚（Acetaminophen）、布洛芬（Ibuprofen）等，用來緩解較不嚴重的頭痛症狀。

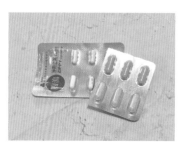

② 腸胃藥

使用於消化道疾病，如腹瀉、消化不良、脹氣或胃酸過多等。

③ 綜合感冒藥

感冒藥只是緩解症狀，若持續發燒3天要就醫。

外用藥

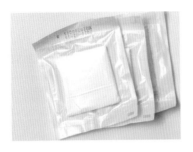

① 大小OK蹦或止血紗布

我會在醫藥箱裡準備2×2、3×3、4×4規格的紗布，視不同情而決定使用大小。

② 長棉花棒

大小尺寸不同的長棉花棒，可針對傷口大小、深淺使用。

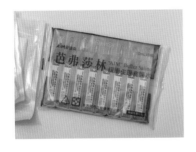

③ 生理食鹽水

用來清洗淨傷口或小朋友眼睛弄到髒東西時，用來沖洗眼睛。開封過的食鹽水，大約一二天內就須丟棄，我通常會買小包裝一整排那種，用起來比較方便。

④ 優碘

消毒傷口用，若傷口乾淨則不需要。

Tips

視需求準備藥膏，例如小擦傷時用來防止傷口發炎的消炎藥膏，燙傷藥膏、蚊蟲咬傷藥膏等。

守護全家的必要防災觀念

除了平日應準備三種居安思危常備包之外，防災觀念也是必須時時複習、演練的一環，更是讓人對於居家空間安心的必要因素。

防災觀念如何於家中落實？

台灣地震頻繁，而且經常發生在半夜，睡夢中震醒，一時可能不知所措。除了地震之外，火災及颱風也常造成重大傷亡。防災觀念除了從教育中紮根，也能從全家一起製作逃生計畫開始，提升應變力，將傷害降到最低。

家庭逃生計畫　　避難要領

Escape Plan

好的習慣　　對的家電

Escape Plan 製作家庭逃生計畫

不管是地震或火災，一旦災難來臨時，可能會因驚慌而手足無措。事先擬好完備的「家庭逃生計畫」，才能在逃生時及早採取正確的應變措施。

製作要點

① 所有家人共同討論，繪製出家裡詳細的平面圖。

② 標示門、陽台及窗戶位置，若有上鎖的鐵窗，須將鑰匙放置在附近，並定期檢查是否能正常開啟。

③ 了解各個房間逃生路線，如果用於火災，須假設起火點，並於每個房間用箭頭畫出二條不同的逃生避難路線。

④ 清楚居家滅火器擺放位置。

⑤ 約定災後集合地點及告知使用消防署的1991報平安專線。

⑥ 至少每6個月演練一次，訓練臨場反應，才不會因突發狀況而驚慌。

⑦ 張貼於家裡明顯易見之處。

CHAPTER 2

住 令人安心的居家空間

家庭逃生計畫

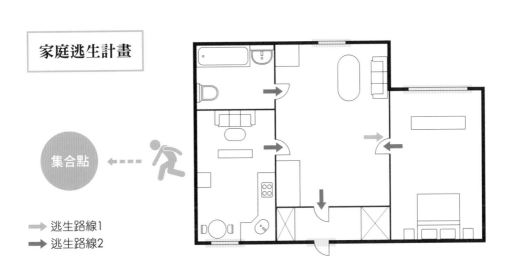

集合點

➡ 逃生路線1
➡ 逃生路線2

逃生避難要領

地震

① DCH保命三步驟

地震發生當下慌張奪門而出，反而易發生危險，請遵守「DCH保命三步驟」。

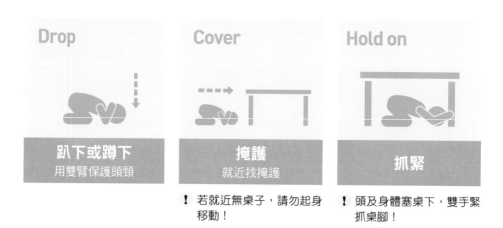

Drop

趴下或蹲下
用雙臂保護頭頸

Cover

掩護
就近找掩護

! 若就近無桌子，請勿起身移動！

Hold on

抓緊

! 頭及身體塞桌下，雙手緊抓桌腳！

② 附近或頭頂有易掉落物時

在地震搖晃的當下，應避免跑動或走動，但若蹲下處附近剛好有容易掉落的物品，此時就該移動到比較安全的地方。

NG 　地震時的NG行為！

很多人以為地震時應先「關閉瓦斯」或「打開大門」，以免引起火災或災難時無法逃生。其實搖晃時起身進行這些事，很容易被掉落的物品擊中或跌傷，反而讓自己暴露在更大的風險中。

❌ 不要打開大門

❌ 不要跑去關閉瓦斯

移動均用「低姿勢爬行」

❌ 勿站起

③ 受困建築物的緊急對策

✅ 先檢視身體有無受傷或流血。若有請先用紗布濕敷後加壓止血，等候救援。

✅ 若手機在身邊，可撥打119尋求救援。除此之外，請節約電量，盡量以傳訊息為主，避免隨意撥打電話。

✅ 若身邊有哨子，可以拿出來吹。若無，可拿起週遭硬物或石塊，敲擊堅固的牆壁或金屬，以引起救難人員注意。

❌ 請勿大聲求救！大喊大叫只是白白損耗體力，兵慌馬亂中，人聲會被周遭的聲音掩蓋掉。

CHAPTER 2

住　令人安心的居家空間

④ 平時居家安全準備

檢視地理位置及牆柱

- 至「中央地質調查所」網站查詢住家是否在土壤液化層上。

中央地質
調查所

- 請合格廠商檢視牆壁、樑柱及天花板龜裂等，評估住家是否老舊。
- 如潛在高風險，則可慮搬家或保地震險。

居家家具安全檢視

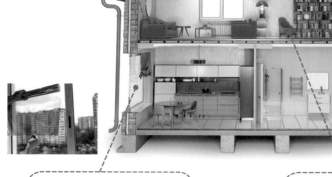

預防任何家具在地震時掉落或滑動，可使用L型金屬片將家具固定，防止傾倒。（例如，固定液晶電視）

家具靠牆的一側，在底部加上止滑墊、止滑片等安全裝置，防止家具傾倒或滑動。

物品擺放原則為「重物在下，輕巧在上」。例如，書櫃在下，擺放飾品的櫃子在上。

窗戶玻璃及玻璃製品記得黏貼保護膜，才能防止玻璃碎裂瞬間噴飛傷人。

容易移動的椅子加強防滑，例如使用輪子防滑套。

火災

① 快速判斷能否滅火

先快速判斷是否能滅火，如沒把握則放棄滅火，確保逃生退路。

② 正確的滅火方式

油鍋起火

✅ 油鍋燒起來時，請沿著鍋緣蓋上鍋蓋，讓火源窒息。蓋上鍋蓋後，趕快關閉瓦斯及抽油煙機，確認火勢熄滅後，再用大毛巾沾濕覆蓋。

❌ 不要舀水滅火。油比水輕，如果舀水滅火會讓油浮在水上，隨水蒸汽四散，會讓火越燒越旺。

電器著火

✅ 先關閉電源，再使用濕棉被或地毯覆蓋住電器。

❌ 用水滅火可能會引起觸電。

③ 火災逃生

先用手測溫

以手背輕觸門板進行測溫動作，如果感覺很燙，表示門外有高溫危險，此時千萬不要開門逃生。如果門板不燙，才可考慮逃生。

向下逃生

先打開門縫查看，若無煙、熱氣襲來，建議「往下」逃生。若往下跑遇到火、煙，則轉往水平方向避難，例如跑至4樓時看到3樓樓梯間有煙，應改往4樓其他方向跑。

Tips

火災逃生請勿搭電梯！因可能會斷電，電梯不具有防高溫的功用，搭電梯不但無法逃生，還可能被濃煙嗆到窒息而亡。

就地避難

開門即有煙（不確定火在上或下），應立即「關門」就地避難，逃到房間或陽台等相對安全的區域，並盡速撥打119，告知救災人員位置。

119

Tips

就地避難的重點是「關門」，完整的關門在火場可撐30分鐘以上，因此把門關上，可爭取多一點求救時間。

火場的特別注意事項！

 選擇實心的門

若要就地避難，應選擇有實心門的區域，塑膠門、玻璃門、有鏤空或玻璃裝飾的門，沒有阻隔煙熱的功效，不適合避難。

 切勿躲浴室

浴室的塑膠門不耐高溫，無法防火，門下方的透風百葉，也易讓濃煙竄入。此外，排水孔下方有「存水彎」，積水易留在排水管裡，所以也沒有新鮮空氣。

 不要用濕毛巾搗口鼻

現代建築物型態及生活用品以石化類佔絕大多數，燃燒時會產生大量毒煙，濕毛巾對過濾毒氣體無太大幫助，準備濕毛巾反而容易錯失黃金避難時機。

 不要用塑膠袋套頭

呼吸會在塑膠袋上產生霧氣，影響逃生時的視線，塑膠袋遇熱也會溶解而黏在皮膚上。

住警器

「住宅用火災警報器」能偵測火警，關鍵時發揮保命功效。透天厝或5樓以下公寓，大多無火警及消防設備，更應自行裝設住警器來自保。

◎ 購買

合格住警器會有如圖的小標籤，是消防署認可的型式，建議採購以此為主。

◎ 優點

・用電池，不須施工配線。
・價格便宜。

◎ 種類

・**偵煙式**：裝在客廳、房間、走廊或樓梯間等，平時沒有煙霧的區域，當煙濃度超出安全數值時，就會發出警報聲。

偵煙式

・**定溫式**：適用於廚房、神明廳等平時有煙霧處，當溫度上升至80℃左右，就會發出警報。

定溫式

◎ 安裝方式

用釘的、掛的或雙面膠黏貼皆可。

◎ 安裝位置

裝在天花板或牆面上都可以，為了避免感應死角，應依下列方式裝設：

距離天花板或樓板60公分以內。

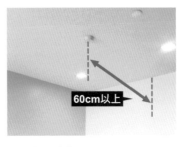

距離牆面或樑60公分以上。

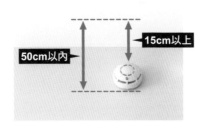

若裝設於牆面上，應距離天花板或樓板下方15公分以上、50公分以內。

距離冷氣出風口1.5公尺以上。

◎ 安裝數量

住警器並非一個家庭裝一顆，通常是一個房間一顆，但若空間格局較大、或天花板有超過60公分以上的樑，就要左、右各一顆。

◎ 每月保養與檢查：「按、擦、換」

按一按住警器的測試鈕，發出嗶嗶聲表示無故障；用布擦拭來保養清潔；必要時更換電池。

◎ 購買

賣場或網路皆有販售，只要選擇具合格檢驗標章的產品即可。

滅火器

每個家庭都應裝設滅火器，遇上火災時可以救自己一命。居家型滅火器最常見的是「乾粉型」，平時應熟悉操作方式，火災時才能準確撲滅火源。

◎ 使用口訣：拉、瞄、壓、掃

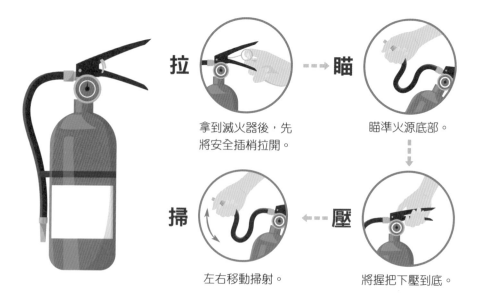

拉 拿到滅火器後，先將安全插梢拉開。

瞄 瞄準火源底部。

壓 將握把下壓到底。

掃 左右移動掃射。

◎ 使用位置

使用滅火器應站在上風處,並距離火源1至3公尺,噴出的藥劑才不會灑到自己身上。

人 ➡ 火
1～3m

◎ 購買

合格的滅火器會有如圖的小標籤,是消防署認可的型式,建議採購以此為主。

⑤ 防火裝潢選不燃或燃耐建材

以預防火災的角度來說,家具不是防火的主要重點,選對裝潢才更重要,因為延燒的可能性比較大。建議裝潢時應掌握以下要訣:

耐燃建材

室內裝修、裝潢及隔間,應該以不燃或耐燃建材為主,打造不容易起火的居家格局。

合格產品

使用有合格防焰標章的窗簾、布幕及地毯,才能防止火勢延燒。

⑥ 良好防火生活習慣

「星星之火可以燎原」，不良的生活習慣，可能一不小心就會釀成火災，造成無可挽回的災難。平時應避免以下不良的生活習慣：

✅ 不在床上抽菸，並確實將菸蒂熄滅。當然最好是不要抽菸。

✅ 使用瓦斯爐或炊事時，要養成人離火熄習慣。

✅ 定期檢修瓦斯管是否有漏氣情形，可用泡泡水塗抹在可能漏氣的地方（接管處），有冒泡泡表示有漏氣現象，應請專業人員維護。

✅ 定期清理排油煙機之油垢。

✅ 懷疑瓦斯外洩時，應輕輕開啟門窗，勿開啟電扇等電器用品，如果濃度在爆炸範圍，開啟電器瞬間的微小火花會引起爆炸。

✅ 神明桌要定期清理，防止小火源釀成大火災。

⑦ 避免不良用電習慣

根據統計，造成住宅火災第一名的因素，就是電器用品起火。現代化的家電雖然帶來了便利，也讓家中危機四伏。避免居家不良用電習慣，可以有效降低火災的發生率。

HOW 怎麼知道是否用電超過負載？

先看延長線上負擔量，再把每個電器使用電流數加起來，就知道有沒有超過。
負載量計算方式：W（功率）／V（電壓）＝A（電流）
例如：延長線負載量10A，電腦500W、電暖爐750W，台灣電壓為110V。
・電腦電流數：500／110＝4.5A左右
・電暖爐電流數：750／110＝6.8A左右
4.5A＋6.8A＝11.3A，已超出延長線10A的負載量，若同時使用這二個電器，就可能發生危險。

GOOD vs NG 用電器習慣！

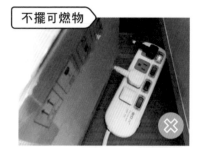

不擺可燃物

GOOD 的用電器習慣

- ✅ 定期清潔插頭，防止積汙導電。
- ✅ 使用白熾燈、電暖爐及電毯等加熱性電器用品，週遭不可放置可燃物。
- ✅ 電器不用就拔除插頭，請手握插頭拔除。
- ✅ 選擇使用有CNS合格標籤之電器用品。

NG 的用電器習慣

- ❌ 電線打結或用物品重壓。
- ❌ 以拉扯電線方式拔插頭。
- ❌ 用電超過負載。
- ❌ 自行更換保險絲。

Tips

建議20年以上電線、迴路等，請有合格技術證之技術師定期檢查及汰換。

Escape Plan 家電安心挑

電器火災造成的死亡率最高,可見挑選及使用電器的重要性。現代家家戶戶都有不少電器,若使用不當或挑選錯誤,很有可能釀成災害。

① 選合格標章產品

認明經濟部標準檢驗局檢驗合格標章的產品,才能確保電器測試及使用上的安全。

合格標章

② 定期查詢

定期至「經濟部標準檢驗局商品安全資訊網」,查看有無召回檢修之電器用品,尤其是較易出問題的除濕機。

商品安全
資訊網

除濕機

台灣天氣潮濕，尤其梅雨季節，衣服經常曬不乾，除濕機就變得非常重要。但除濕機常因誤用而造成火警，使用上須謹慎留意。人在家才開除濕機，出門要除濕就用冷氣的除濕功能。

◎ 選購
除濕機主要的功能是調節室內濕度，應選擇適合自己家的坪數的才能達到效用。

◎ 使用

☑ 放置在房子正中間，跟家具跟窗簾保持適當的距離。除濕時打開櫃子門；記得不要放在衣櫥裡面。

上面不要放東西

☑ 除濕機的濾網一定要擦乾淨,並且常常清潔。

☑ 不要跟其他家電共用插座。

CHAPTER 2

住　令人安心的居家空間

> *Tips*
>
> 除濕機長時間不用,最好把插頭拔掉較安全。

☑ 房間除濕時,人應到房間外。

☑ 夏天可用冷氣空調除濕,電費會節省很多。或者以冷氣搭配除濕機的方式,例如客廳開冷氣,餐廳可搭配一台小型除濕機。

> *Tips*
>
>
>
> 冷氣濾網乾淨效果好,若濾網沒有清,使用冷氣會讓室內的細菌及霉菌增多,建議每天用除塵紙拖把擦一次濾網及冷氣口,定期請專人清洗保養冷氣。

空氣清淨機

◎ 選購

市售的空氣清淨機功用很多，例如抗過敏、除臭、防蟎等，選購時先看清楚自己想要的功能，及使用坪數大小、產生的噪音等來評估。

◎ 使用

✅ 人在室內再使用

使用時間太長，室內二氧化碳濃度上升，反而易讓人感覺疲憊，使用時仍要定時開窗通風。

不要對著牆壁吹

✅ 出風口靠近使用者

一般空氣清淨機都有進風口及出風口，擺放時注意出風口要靠近使用者的頭部，可以將乾淨的空氣導引到臉部附近，不要對著牆壁吹，以免讓牆上的灰塵揚起。

✅ 空氣清淨機進風口離牆約30cm，周邊不要堆放物品，保持環境清潔。此外，濾網一定要按時更換或清洗，才能保持最佳使用狀態。

> 周圍30cm內不要堆放物品

掃地機器人

◎ 使用

✅ 外出時使用

掃地機器人運轉時會揚塵，使用十分鐘會讓室內空汙物質增加6倍，使用90分鐘後空汙微粒才能穩定下降。因此請在外出時使用，90分鐘之後再回家。

Tips

掃地機器人無法吸附有濕氣的灰塵，如果地上有水漬，一定要先擦乾。室內空間也應該保持整齊、空曠，才適合使用。

吸塵器

◎ 使用

✅ 直立式吸塵器，揚塵問題較少

吸塵器後方氣旋所造成的空氣汙染物質高達13倍。排氣口接近地面的吸塵器，揚塵問題較嚴重，而直立式吸塵器的排氣口在把手上，相較之下更安全。

Tips

建議以1公尺約5～6秒的速度來推動吸塵器，減少揚塵的問題。

燈具

◎ 選購

根據房間及個人需求選擇款式，可請燈飾店建議裝設直接或間接照明。直接照明亮度高，間接照明光線較柔和。

Tips

間接照明的光線較柔和，視物不會刺眼。

◎ 使用

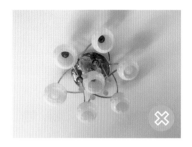

✓ **選好清理的類型**

建議勿選特殊燈種，萬一停產可能要更換整副燈具。家庭非營業場所，也建議不要選拆卸及清洗都很麻煩的水晶燈，選好整理、好清潔的類型為宜。

有需要可裝感應燈

✓ **睡時燈全滅，可裝感應燈防跌倒**

曾有實驗發現，猴子若在全黑的環境下睡覺，得到近視的可能性很低，因此林醫師過去就要求我們家小朋友睡覺時一定要關燈。若怕半夜起床上廁所跌倒，建議可裝感應燈較安全。

✓ **根據需求，選白光或黃光**

燈光色溫分為白光、暖光（黃光）及中性光等多種。採光較不好的地方使用白光讓光線充足，而需要溫馨舒適感的地方則是選擇較溫暖的黃光。

Tips

書桌枱燈應選穩定、不閃爍的光源，以免損害視力。

OK 可隨處掛的感應燈也很方便！

除了安裝固定式的感應燈之外，市售也有許多感應燈是附有掛勾或是可黏貼於牆上，視家中何處需要感應光源，就可以放置於那處。對於租屋族或不方便裝潢的人是很便利的選擇！

養成好習慣，清潔好輕鬆

居家環境清潔對健康至關重要，除了清潔、消毒，減少細菌及病媒滋生之外，清潔劑的選擇及使用方式，也跟居家安全息息相關。

如何居家清潔無負擔？

打掃容易累，是因為家裡累積了太多灰塵及油垢，若學會正確的打掃原則、順序等重點，就能避免髒汙累積成頑垢，輕鬆保持居家環境整潔！

原則

順序

重點

管理

Good Habits

Good Habits 2大原則，讓你打掃更輕鬆

天天掃，更輕鬆

建議養成天天打掃、隨手清潔的好習慣，或採用星期一、三、五與星期二、四、六分區打掃的方式，如此就能避免髒汙累積成頑垢，輕鬆保持居家環境整潔。

讓打掃更省力的清潔順序

① 清潔空間要由上而下、由內而外

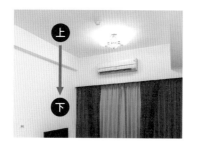

由上而下

從空間最高的天花板、立燈燈罩等開始打掃，向下依序清理到地板。如此清理地面時，可將高處落下的灰塵一起掃掉。

由內而外

從房間開始清理，一路掃到廚房及客廳，然後才是室外的陽台及大門口。

> *Tips*
>
> 家中應避免物品堆積，盡量保持動線通暢，才不會造成打掃死角。

② 清潔家具要「乾濕乾」

清潔家具的方式及順序是「乾濕乾」，可以讓打掃更省力。

乾擦

先用除塵紙或除塵撢，以靜電吸附的方式來清除家具表面的灰塵，免得揚塵。

濕擦

用擰乾的抹布濕擦一次，髒汙較難清除時，可用肥皂水加強清潔。

乾擦

最後用乾布再擦一次，除了可徹底去除髒汙，也能加速恢復乾爽，不易沾灰塵。

Tips

冷氣濾網或窗戶邊框等縫隙，可利用油漆刷來協助清理。

居家空間清潔重點

［客廳］

⤷ 別讓客廳成為室內空汙來源！

布質沙發、窗簾及地毯等布製品，容易沾染懸浮微粒或堆積灰塵，滋生塵蟎，造成室內空汙。根據統計，室內空汙是室外空汙的2～5倍，建議可照以下方法這樣做：

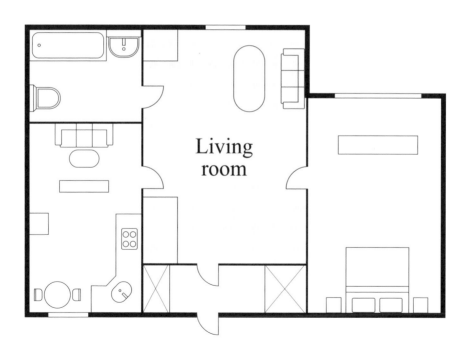

Living room

① 晚上開窗通風

晚上開窗1小時

白天室外機汽車、工廠都在運作，空汙嚴重，建議緊閉門窗，晚上再把窗戶打開1小時左右，保持室內空氣流通。

打開後面的窗戶

除了客廳，家裡後面的窗戶也要打開，讓空氣對流。

② 若有嚴重過敏，盡量不選布製品，可以減少塵蟎

沙發可以選擇皮質，而窗簾改用竹簾等，若選用布製品的話，就要經常清洗。

Tips

芳香產品盡量少用

很多人喜歡在客廳或是家裡其他空間放置室內芳香劑、芳香蠟燭等，產品來源未必可靠，可能含揮發性有機化學物、塑化劑，甚至含甲醛。覺得環境氣味不佳，要消除氣味來源，非用香味去掩蓋。

［浴廁］

⇨ 浴廁清潔重點在保持乾燥！

浴廁最常見的問題就是潮濕長霉，霉菌如果從浴廁飛到家中，就會危害身體健康。

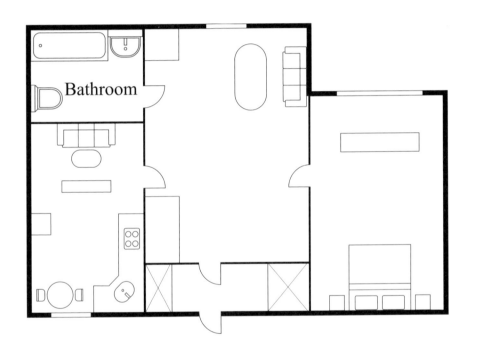

① 濕毛巾勿掛浴室

使用過的毛巾不要掛在浴室裡，否則容易發霉，當毛巾摸起來感覺黏黏滑滑，表示已滋生大量細菌，如果長出黑色斑點，代表已經發霉了，就要丟棄。

② 使用完以冷水沖洗並刮淨

洗完澡後濕度及溫度都較高，對霉菌是很好的生長環境。建議最後一個洗澡的人，用冷水沖洗浴室牆壁及地板降溫，再用刮刀把水刮淨。

用冷水沖

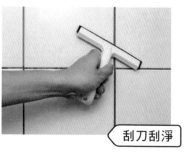

刮刀刮淨

③ 除濕

浴室使用完畢後，應打開抽風機來保持乾燥，如果沒有抽風機，建議一至二天使用一次除濕機。除濕時，記得把馬桶蓋蓋上，以免影響除濕效果。有人會用電風扇吹，其實是把濕氣往其他地方吹。

> *Tips*
>
> 可在浴廁準備一條乾抹布，順手將噴濕的地方擦乾。

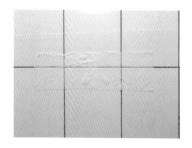

④ 漂白水除霉

長霉的地方，除了可以用市售的除霉噴劑之外，還可用漂白水來去除霉菌。可以將廚房紙巾蓋在發霉處，噴漂白水靜置一晚後洗淨即可。

⑤ 沖馬桶蓋蓋子

建議如廁後，應蓋上馬桶蓋再沖水，否則臭味及細菌易沾染掛在浴室的毛巾及牙刷。此外，若遇停水，應先蓋起馬桶蓋，再將水倒入水箱，再沖水。

Tips

我們家每天清洗馬桶，或用酒精噴灑擦拭馬桶蓋來消毒殺菌。我也建議在上廁所前可以噴一次酒精，上完廁所蓋馬桶蓋沖水後，沒有水聲了，掀開蓋子再噴灑一次，可徹底消毒乾淨！

⑥ 避免用品長菌

牙刷架應有瀝水孔

使用後的牙刷很潮濕，不小心就會長霉。建議刷完牙後，先把牙刷甩乾再放牙刷架。牙刷架應有瀝水孔，底部勿積水，才能避免藏汙納垢及發霉，家中牙刷也不要放在同一個杯子，最好分開放，才不會碰觸傳染疾病，牙膏也不要共用為佳。

瓶罐不落地

瓶瓶罐罐直接堆在地上易累積水漬而長霉，建議放在架高的置物架上。

磁吸式皂架

肥皂盒架高利於瀝乾

軟爛的肥皂易滋生細菌，一定要把肥皂盒架高，滴水瀝乾才行。我通常會把肥皂切成小塊分次用，每塊大約一至二週左右用完，降低細菌滋生的可能性。或是可用磁吸式皂架，讓肥皂懸空的設計，讓其保持乾燥，細菌不滋生。

Tips

或是可以將肥皂放進網袋裡，使用後掛在通風處晾乾。

補充洗手乳前徹底清洗、晾乾

洗手乳用完更換補充包時，常因瓶子沒有保持乾淨而滋生細菌。建議每次用完後先將瓶子洗淨、擦乾，最好再用75%酒精涮一涮，晾乾後再倒入補充液。

洗淨

擦乾

用酒精涮過

晾乾

⑦ 排水管定期清

蚊蟲會隨著廁所裡的排水孔飛到家裡，同樣的，其他住戶產生的細菌也會順著排水孔跑進家中，造成病菌傳播，嚴重時會造成群聚感染。想要常保浴廁衛生，建議使用下列方式：

排水管倒水

排水管裡有「存水彎」，能夠達到「水封」的作用，可防止蚊蟲、臭氣及細菌入侵。建議每天可以往排水管倒1～2杯水，以確保水封功能正常。

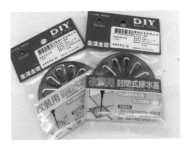

善用密封裝置

若家中有很久沒使用的衛浴，建議將排水口密封起來。現在市面上有販售排水孔密封裝置，只要塞進管道中，就可以達到防蟲防臭及防病菌的作用。之前香港曾發生同棟大樓染疫，即是因排水管沒有水封或密封。

⑧ 水槽可用科技海綿

浴室水槽的水垢、霉斑，使用後可用三聚氰胺的科技海綿擦拭，好用又環保。

Tips

大家都在意臭味，但香味更可怕！

我家沐浴精的用量很少，主要想避免接觸其中可能的定香劑。選擇沐浴用品時，盡量選擇香味不要太濃、太持久的。

浴廁定期清潔

✅ 每天清理排水孔上積垢，若有卡毛髮須清除乾淨。

✅ 定期用保養型清潔劑清洗排水孔，以保暢通。若未常清理，已稍微堵住，請用強效疏通劑。因強效清潔劑都是強酸或強鹼，使用時一定要戴手套、護目鏡，穿長袖，避免噴到臉及眼睛。

開窗

✅ 使用強效疏通劑通常需等待一段時間讓髒汙溶解，請將廁所窗戶打開，通往室內的門關閉，避免嗆鼻氣味跑到家中。

Tips

若排水系統下面是塑膠軟管，不能使用具腐蝕性的強鹼清潔劑！否則易破裂。

✅ 選台灣大廠生產、標示完整，並且有檢驗合格證明的清潔劑。此外，香味太持久的清潔劑，也不建議購買。而現在很多網路賣清潔劑看似很強效，但沒有完整標示，或簡體字標示不清楚的清潔劑不要任意使用。

✅ 浴室清潔重點在於去除皂垢（碳酸鎂、碳酸鈣），使用酸性清潔劑才能溶解。建議髒汙處用檸檬酸先敷著過夜，再將汙垢刷除。

［廚房］

➪ 隨手清理，不讓油汙成陳年油垢！

廚房是家裡最容易出現油汙的地方，若未養成天天清潔的習慣，經年累月的油垢清理起來非常費力，建議平日煮完飯就隨手清理廚房。

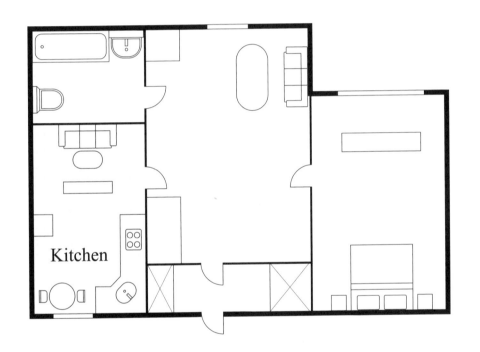

熄火續抽5分鐘

① 開火就開抽油煙機

只要開火就一定要開抽油煙機，熄火後，最好讓抽油煙機繼續抽5鐘，確保油煙被完全排除。

② 廚房清潔

一般清潔用洗碗精

廚房最常用的清潔劑還是
洗碗精，不管是清洗碗
盤、洗抹布等都可以用，
建議選擇不含環境荷爾
蒙、有環保標章的產品。

清潔抽油煙機用小蘇打溶劑

油垢較多的抽油煙機，可利用鹼性的小蘇打溶劑來清潔。每次烹調後，噴
一點在抽油煙機的濾網及扇葉上，5分鐘後再用濕抹布擦淨即可。

噴小蘇打溶劑

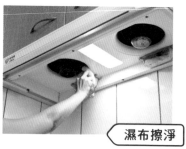

濕布擦淨

Tips

其他油垢也能用小蘇打溶劑去除！只要先
將小蘇打溶劑噴在油汙處，再覆蓋廚房紙
巾，待油垢溶解後
用熱的濕抹布擦拭
乾淨。

茶垢、咖啡垢可用「過碳酸鈉」

若是要去除餐具上的積垢，我會使用「過碳酸鈉」（屬於氧系漂白劑）來清洗。

熱水中加入1匙

浸泡3～4小時後沖洗

頑垢用強效去油垢產品

若是積垢已深，使用小蘇打溶劑可能無法完全去除，建議使用市售的有品牌的安全去油垢產品，才是省時省力的方法。

Tips

・髒汙去除乾淨後，請把握天天清潔的原則，才不會又積成難清理的頑垢。

・清潔劑的使用原則一定是「由上往下」噴。此外，使用時一定要戴口罩、手套及護目鏡，盡量做好自我防護。

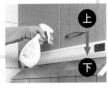

上

下

小蘇打溶劑

在噴瓶裡加入1份小蘇打，以及10倍的熱水來稀釋，充分搖勻後即完成。

 小蘇打 **1** ： 熱水 **10**

［臥室］

⤵ 做好臥室清潔，降低塵蟎、過敏機率！

臥室是睡覺休息的地方，身上掉落的皮屑及毛髮，會成為塵蟎的食物，若未做好清潔工作，容易讓塵蟎大量滋生，引發過敏、皮膚發癢等問題。

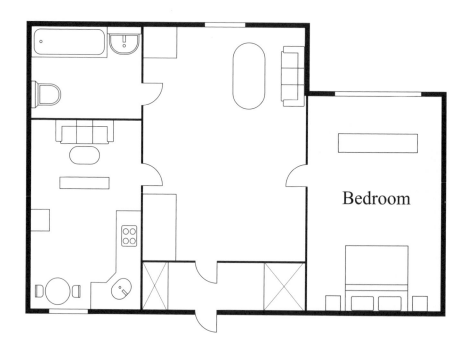

建議選白色毛巾

① 枕頭上舖乾淨毛巾

因頭髮上的油汙、灰塵都會黏在枕頭上，若未常清洗枕頭套，建議在枕頭上舖一條乾淨的毛巾，每天早上起床更換及清洗，讓枕頭表面保持清潔及乾爽。

② 清除塵蟎法

起床後，睡覺時留下的濕氣、皮屑及毛髮等都還留在床上，易讓塵蟎滋生。應先把棉被攤開、翻面，讓濕氣蒸散。離開房間前先關燈及窗簾，保持黑暗一二個小時左右，等塵蟎跑出來後再除蟎。

棉被翻面

保持黑暗1～2小時

③ 平日使用黏把

清除塵蟎不一定要用除蟎機，用便宜又易取得的黏把效果也不錯。建議每天早上用黏把將棉被及枕頭上毛髮及皮屑黏起來，減少塵蟎的食物，間接除蟎，現在有很多環保黏把，用水沖後，就恢復黏性。

④ 假日用除蟎機

週末假日比較有空時，可以使用吸塵器除蟎專用的吸頭，在床單、棉被及枕頭等地方，進行清除塵蟎的工作。

⑤ 寢具定時清洗

床單、被套、枕頭套等，雖然肉眼看不出髒汙，但其實已經累積不少細菌及塵蟎，我通常每週都會清洗一次，至於棉被，差不多一個月一次，棉被最好買能水洗的。

⑥ 消耗品請定期淘汰、更換

棉被跟枕頭都是消耗品，使用二、三年後就要淘汰，若枕頭出現變形、彈不回來或有水漬、發霉等情況，就要盡快更換。

⑦ 寢具殺菌法

烘乾30分鐘即可殺死塵蟎

枕頭及被子跟衣服一樣，也要經常殺菌，通常我購買時會選擇可清洗及烘乾的成分，才不會造成麻煩。若不能清洗時，可用烘乾機烘30分鐘，就可殺死塵蟎。

陽光曝曬，紫外線殺菌

含有動物成分的被子，如羊毛、羽絨、蠶絲等，建議不要烘乾、可放在黑色塑膠袋裡、不要密封，直接拿到太陽底下曬，或放在室內除濕6小時以上就可以。

烘被機

市售的烘被機也是除塵蟎的好幫手。可將枕頭塞進棉被裡一起殺菌，可將寢具正面先使用烘被機殺菌六十分鐘，翻面後再殺菌六十分鐘。

烘被機

［ 晾衣間 ］

② 晾衣間保持通風及乾爽

剛洗完的衣服濕氣重，會讓濕度上升，易滋生霉菌。晾衣間最重要的原則就是保持通風，不只能讓環境乾爽，也能讓殘留在洗物上的洗劑及化學物質揮發。

Tips

若室外空汙拉警報時，衣服晾在室外物超過10小時，如果還沒完全乾，可移到室內開除濕機加速乾燥。此外，雨天衣服晾不乾時也可這樣做。

［ 窗台 ］

① 利用油漆刷清理窗台縫隙

窗台的縫隙非常容易藏汙納垢，可以使用油漆刷先把藏汙及灰塵刷到旁邊，然後再用吸塵器吸起來。

如何管理及保存居家備品？

Good Habits

台灣物資充足，加上生活便利，並沒有囤積生活用品的需要。不過，我們在選擇及保存生活備品時，可以多費一點心，也能讓生活過得更加安心。

① 紙、棉等物品勿囤積於浴廁

不要把浴廁當成儲物間，建議不要把備用的衛生紙、衛生棉囤積在浴室裡，容易長霉。

Tips

潮濕的浴室容易成為細菌溫床，因此美國哈佛大學曾建議，牙刷、化妝品、香水、剃刀等物品，最好都不要擺放在浴室裡，放在通風處。

牙膏一人一條

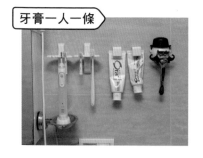

② 牙膏用量不多，不用特別囤積

牙膏選購市售檢驗合格的品牌即可。除了正在使用的之外，建議只要再多備一條，不用特別囤積。每次刷牙使用量建議約一粒豌豆大。為預防交叉感染，我們家牙膏都是一人一條，不會相互共用，才能確保衛生。

化妝保養品如何選擇？

現代人與化妝品的接觸越來越頻繁，更該注意化妝品的成分及使用。本篇就來分享安心指標譚老師的化妝保養品通常怎麼選？建議怎麼使用？

化妝品選簡單、無香，簡化保養程序

我選擇保養品的原則很簡單，那就是成分單純、沒有香味的。太複雜的成分對皮膚是一種負擔，因此，我的保養程序也會盡量簡化，洗完臉除了噴礦泉水之外，只會再加上玻尿酸及乳霜來保濕，一般不超過3瓶。

使用口紅，用衛生紙抿一下，減少入食機率

至於化妝品，我最常用的就是口紅，也是盡可能選擇沒有香味、成分單純的。我會先塗上護唇膏，然後再擦口紅，之後再用衛生紙抿一下，減少口紅被吃進嘴裡的機率。

無香　簡單

吃完早餐再擦口紅，安心又美觀

通常我都是吃完早餐後刷完牙再塗口紅，之後整天都不會再補擦，如果在外面用餐，就會先去除口紅後再吃東西，除了比較安心之外，也避免口紅沾到餐具上，感覺比較不雅觀，也減少吃到口紅。

養成孩子自主管理術的小祕訣

該如何讓孩子變得自主呢？這是爸媽都想知道的事，譚老師與丈夫林醫師曾被小兒子開玩笑說是「不負責任的爸媽」，沒想到這卻讓孩子養成了自主的習慣！

放孩子自主，養成責任感

我的小兒子曾開玩笑說林醫師和我是「不負責任的爸媽」，因為對於孩子的教育，我們從小要求的不多。很多現代父母會盯孩子寫功課，但我們從以前就跟孩子們說：「寫功課和讀書是你們自己的事」，讓他們要對自己負責。沒有咄咄逼人，結果反而養成他們的責任感，幾乎都不用我們操心。

簡單、單純的環境，更能專心

「專心」，對孩子而言很重要，兒子寫功課時，我會要求他們把書桌收拾乾淨，桌上不要有玩具或食物。對於無法專心的孩子來說，簡單、單純才不會讓他們分心，建議鉛筆盒、文具等物品，盡量選擇功能簡單、花樣少的。

巧妙規劃家中空間，讓孩子自然遠離3C

現代小孩很早就離不開3C產品，這也是影響他們學習的一大問題。我兒子小時候，電腦從來沒有拿進房間，我們把電腦擺在家裡的共用區域，晚上八點前也會斷網，除了減少他們使用3C的時間，也能避免睡眠時被電磁波干擾。

從小練習收納，養成管理房間的好習慣

小朋友學會收納清潔自己的東西，更能管理好自己的房間。我們從小就要求小孩要做到「物歸原處」，看完的書一定要擺回書架上，不看的書，一段時間後也會捐出去，避免房間裡堆滿書籍。

生氣時先分開冷靜

絕不在氣頭上打罵孩子，生氣時先分開冷靜一下，以免氣頭上的言語傷人。

疫情下孩子在家

- ✅ 仍按正常時間作息。

- ✅ 不要一直穿著睡衣，起床後摺好被子就不要碰床。

- ✅ 3C產品在父母看得到的地方使用，可避免上奇怪網站。

- ✅ 在書桌做功課，在餐桌吃東西，絕對不要一邊做功課，一邊吃東西。

- ✅ 在家期間減少糖果、人工色素、咖啡因的攝取，因含有這些成分的食物會讓小孩躁動。

行

外出也能好安心

快速索引

Transportation

搭乘交通工具的無毒守則 —— P.127

Safety Plan

野外出遊的安全防護 —— P.129

叫

大聲呼叫，吸引周遭人注意。

叫

快打119、118、110、112。

伸

把竹竿、樹枝等物品伸出去給溺者，同時注意自己不要被拉下水。

拋

把空寶特瓶、救生圈、繩子、浮球等漂浮物，拋送給溺者。

划

救生員或消防人員，藉由大型浮具或船艇划過去，救溺者上岸。

行程裝備、緊急對策往這走 ▪▪▪▶

✅ 救溺五步驟 ——— P.132

✅ 一日／二日登山行程裝備 ——— P.134

✅ 登山的3大緊急對策 ——— P.137

如何外出好安心？

一年四季有許多傳染疾病病毒蠢蠢欲動，防疫不能鬆懈，尤其是外出或搭乘大眾交通工具時，更應該做好防護措施，避免將致病的細菌帶回家！

如何安心外出？無毒回家？

外出總會難以避免需要使用交通工具，若是自家的交通工具尚好清理，大眾交通工具或公共租借的交通工具等，更是有賴大眾共同維護，才能保護自己也保護他人。

大眾運輸

公共租借

outdoor safety

自家用車

野外出遊

Transportation 搭乘交通工具的無毒守則

自己開車

上車第一件事,先搖下車窗通風,空氣流動可降低細菌濃度及關閉一段時間的廢氣。若車上有其他人,建議戴口罩,下車可先在手上噴酒精消毒後再進屋。

② 搭計程車

除了自己要戴口罩之外,也要注意司機是否有確實戴好。因為車內是密閉空間,最好避免和司機交談。若還有疑慮,可以把車窗搖下來以保持通風。

③ 搭捷運或公車

搭乘大眾交通工具一定要確實戴好口罩,並且避免交談。手部未清洗乾淨前,不要碰觸身體,尤其是眼睛、鼻子及嘴巴等部位,下車後要用酒精消毒雙手。

④ 搭火車或高鐵時

除了和搭捷運或公車一樣的原則之外，也要注意不要在車上飲食。在車上上廁所時，一定要戴好口罩，如廁後除了確實洗手之外，建議再噴一下酒精消毒。

⑤ 租借公用腳踏車或電動機車

租借Ubike或WeMo等公用腳踏車或電動機車時，先用酒精消毒完把手再使用，騎完之後也應消毒雙手。

Tips

若須使用公用安全帽，建議可先戴上拋棄型的浴帽，之後再戴安全帽。也可以在公用安全帽內層先噴酒精消毒，戴起來會更安心。

OK 譚老師的每日萬步走原則

我的運動原則是「積少成多」，有時間就走一走、動一動，不會刻意選擇哪一個時段來進行。只要利用零散時間，隨時隨地都可以運動，因此不需要特地換上運動服，只要穿著感覺輕鬆、自在就可以。

走路，是我最常做的運動。不過，遇到空汙嚴重時，我就會避免外出，改成在家裡跳繩或練習伸展操。輕鬆、隨意的運動更沒有負擔，也更容易持之以恆。

Good Habits 野外出遊的安全防護

到野外遊玩放鬆是一件無比享受的事，但若危機意識不足，或對大自然不夠了解，很容易陷入危險中。建議遵守安全規範，讓外出也能很安全！

① 出遊先看氣象

野外活動最重要的原則是先了解天氣，事先查看氣象預告了解出遊當天的氣候變化，才能避免意外發生。請勿抱著僥倖的心態，讓自己陷入危機之中。

交通部
中央氣象局

交通部中央氣象局
Central Weather Bureau

回首頁 EN 網站導覽 意見箱 常見問答 關於本局 字

警特報 天氣 生活 地震 海象 氣候 資料 知識與天文 常用服務

！ 海上颱風警報 ！ 高溫資訊 ！ 颱風消息

輕度颱風 彩雲

輕度颱風 彩雲（國際命名 CHOI-WAN）海上颱風警報 點我看更多

編號第3號颱風警報 第2報

發布時間：06/03 17:30

下載警報單 輔助說明

颱風現況

中心位置：3日17時的中心位置在北緯 18.2 度，東經 118.1 度，即在鵝鑾鼻的西南方約 510 公里之海面上
前進方向：以每小時17轉22公里速度，向北轉東北進行
中心氣壓：998百帕

野外郊遊先了解天氣

CHAPTER 3

行 外出也能好安心

② 露營選合法營地

近年露營活動盛行，許多家長會帶著小朋友到野外紮營，原本應該是快樂出遊，但卻意外頻傳。露營應選擇合法的營地，對性命安全才有保障。

觀光局
露營查詢

交通部觀光局露營區查詢專區
Taiwan Tourism Bureau Bivouac Inquire Zone

全台露營場資料查詢（資料更新日期:110/05/11）

查詢條件：

露營區名稱：＿＿＿＿＿＿＿＿＿＿

所在縣市：
□ 臺北市□ 新北市□ 桃園市□ 臺中市□ 臺南市□ 高雄市□ 基隆市□ 新竹市
□ 嘉義市□ 新竹縣□ 苗栗縣□ 彰化縣□ 南投縣□ 雲林縣□ 嘉義縣□ 屏東縣
□ 宜蘭縣□ 花蓮縣□ 臺東縣□ 澎湖縣□ 金門縣□ 連江縣

營業中：□ 公有合法□ 國家公園□ 國家風景區□ 國家森林遊樂區□ 符合相關法令□ 違反相關法令□ 營業中-待清查□ 營業狀態待確認□ 無營業　查詢

露營區名稱	所在縣市	土地	用地類別	營業狀態	符合	違反	原住民地區

Tips

⊗ **不要在溪邊紮營**

野溪水流變化莫測，可能隨時會爆漲，速度又快又強勁，危險性非常高，野外溪床絕不是紮營的安全選項。

溪邊或海邊

(1) **溪邊玩水危險性高**

夏天天氣炎熱,很多人喜歡到溪邊玩水消暑,卻不知危險性十分高。

❌ 小心誤判溪水深度

溪水深度很容易被誤判,加上暗流及漩渦多,下水後腳也容易卡在石縫中,因此常發生意外。

❌ 請勿生飲溪水

溪水看似乾淨,卻含有許多寄生蟲或蟲卵,如果生飲或以用來洗臉,很容易從呼吸道、口腔或眼結膜等地方進入體內,造成寄生蟲感染。

❌ 請勿打赤腳

在野溪或山路打赤腳,也容易讓寄生蟲鑽進體內。

② **溺水該如何處理？記下「救溺五步驟」：叫、叫、伸、拋、划**

叫
大聲呼叫，吸引周遭人注意。

叫
快打119、118、110、112。

伸
把竹竿、樹枝等物品伸出去給溺者，同時注意自己不要被拉下水。

拋
把空寶特瓶、救生圈、繩子、浮球等漂浮物，拋送給溺者。

划
救生員或消防人員，藉由大型浮具或船艇划過去，救溺者上岸。

Tips

夏日大家都喜歡到海邊戲水，海象無常，建議若要到海邊玩，最好有在地人陪同，更瞭解海象，並且選擇有救生員的海域，才能安全又快樂的玩水。

登山

① 出行前先評估體力

登山是十分消耗體力的活動,如果欠缺體力或心肺功能不佳,很容易累。因此,想要去登山,一定要先評估自身體能,否則容易因體力不足而發生危險。

② 登山裝備

上山後,只能依賴自己帶上去的物品生存,除了基本配備之外,也要有風險管理的概念,有特殊情況發生時,才能派上用場。

● **一日行程裝備**:背包、運動鞋、水、登山杖、手機與行動電源、手電筒、長袖衣物、食物、防蚊液等。

● **兩日行程裝備**:在一日行程裝備之外,再多加保暖衣物、以及可煮食的食物。

一日行程裝備

✅ 背包

帶輕巧可收納登山用品的背包。

✅ 鞋子

穿運動鞋較好行動，不要穿著涼鞋或皮鞋等。

✅ 水杯或登山水袋

一人一天至少準備3公升的水，並且在出發前先查登山地圖，看沿途哪些地方有供應水。

✅ 登山杖

往上爬或體力不佳時都很有用。

✅ 手機＋行動電源

方便有困難時連絡溝通。

✅ 手電筒

可於亮度不佳或求生時使用。

✅ 衣物

一定要穿長袖長褲，才能避免蚊蟲叮咬。注意，不要穿顏色鮮豔的衣服，易招虎頭蜂。

✅ 食物

巧克力及餅乾等，都是好攜帶又方便補充熱量的糧食。

⊘ 防蚊液

含敵避（deet）的防蟲液才有效果，不要選用含精油或有香味的產品，易招來蜜蜂。

兩日行程裝備

除了一天行程的物品之外，還需準備：

⊘ 保暖衣物

例如好收納的羽絨衣，或可以禦寒的整張鋁箔紙。

⊘ 食物

可以帶一些泡麵及簡單器具用來煮食。

③ 登山的3招緊急對策

求救

當迷路或體力不支時，可以打112求救（手機無訊號也能撥），現在手機幾乎都有羅盤app，建議多加利用。也能打119視訊app跟消防局連線。通話時，請清楚說出：

視訊119
App

- ✓ 附近環境特色。
- ✓ 剛才經過的地方有什麼景色，才能接收到最正確的指導。

環境特色

經過的地方景色

虎頭蜂盤旋

不要用手揮趕虎頭蜂，否則易招致攻擊。正確的作法是降低自己高度，並且慢慢遠離它們，若動作太大、太明顯，反而容易讓虎頭蜂緊追不放。

Tips

被虎頭蜂叮咬後，會灼熱紅腫，請儘快拔掉毒針然後冰敷，並送醫急診。若是第二次被虎頭蜂叮，很容易中毒，請盡速就醫。

✅ 記住長相特徵

台灣毒蛇很多，被咬時莫驚慌，先看清楚蛇的長相，例如：頭的形狀、花色及尖牙等，就醫時詳盡告訴醫師。

✅ 處理傷口

把被咬部位上方綁起來，讓患肢低於心臟，減緩血液循環及毒液擴散，並且盡速送醫。記得別綁得太緊，萬一循環太差造成組織壞死，之後有可能截肢。

Tips

鬆緊度以能夠穿過一根手指頭為原則。

✅ 脫掉戒指跟手錶

被咬後手會開始腫脹，預防手上的飾品脫不下來，應先將它們拿掉。

Tips

 千萬不能用嘴吸毒液！口腔裡多少有傷口或蛀牙，用嘴吸毒液反而會中毒，是錯誤的處理方式。

④ 尊敬山，保護自己跟環境

不要亂碰植物

很多植物帶有毒性，亂摸可能會中毒。例如很多人以為漂亮的菇類才有毒，醜的沒毒，其實這是錯誤的觀念，所以遇到不熟悉的植物，千萬不要伸手摸。

不把外來種子或垃圾留在山上

有些人在山上吃水果，將果皮及種子順手一扔，以為回歸大自然，其實這些水果可能是外來種，如果在山上發芽生長，會破壞生態平衡，為大自然帶來傷害。

Tips

現在許多網紅喜歡到郊外拍照，因而帶起登山熱潮，很多人也跟著上山拍照，卻沒有將垃圾順手帶走，建議垃圾隨手帶走，以免對環境造成傷害。

NG 搜救或直升機救援的成本

有些人登山前未評估自我狀況，不了解風險，結果受困在深山裡，出動救難人員搜救或直升機救援。不只浪費社會成本，自己也付出了龐大的代價。

◎黑鷹直升機救援每小時成本

細項	金額
工時費	6萬416元
航材質（耗材及維修費）	12萬2430元
燃料費	1萬1881元
合計（每小時）	19萬4727元

國家圖書館出版品預行編目資料

譚敦慈的安心生活圖典：最放心的「衣住行」守則 X
出入 X 居家安全 X 外出指南，打造不生病的身體！/ 譚
敦慈著. -- 臺北市：三采文化股份有限公司，2021.07
面；　　公分. -- (三采健康館；152)
ISBN 978-957-658-581-4(平裝)

1. 健康法 2. 保健常識

411.1　　　　　　　　　　　110008673

@內頁圖片提供：

bsd、Banana Walking、Rvector ∕ Shutterstock.com；P.4、
11、12、21(上)、28(下)、32&33 插圖、64、65、67 插圖、
75 插圖、79 室內圖、80~84 插圖、86 下方兩張、87、88 下
方插圖、89 上方插圖、90 最上方、91 下、96 上、99 中、
103~114 室內平面圖、120&121 插圖、123 插圖、127&128、
131 ∕ stock.adobe.com；Alexandra Karamysheva、
takus、Atiketta Sangasaeng、geargodz、tang90246、
wangwushoung、Shao-Chun Wang、tomwang©123RF.com

suncolor
三采文化集團

三采健康館 152

譚敦慈的安心生活圖典
最放心的「衣住行」守則✕出入✕居家安全✕外出指南，打造不生病的身體！

作者｜ 譚敦慈
副總編輯｜ 鄭微宣　　責任編輯｜ 陳雅玲　　文字整理｜ 吳佩琪
美術主編｜ 藍秀婷　　封面設計｜ 池婉珊　　內頁排版｜ 陳育彤
行銷經理｜ 張育珊　　行銷企劃｜ 周傳雅　　攝影｜ 林子茗

發行人｜ 張輝明　　總編輯｜ 曾雅青　　發行所｜ 三采文化股份有限公司
地址｜ 台北市內湖區瑞光路 513 巷 33 號 8 樓
傳訊｜ TEL:8797-1234　FAX:8797-1688　　網址｜ www.suncolor.com.tw
郵政劃撥｜ 帳號：14319060　戶名：三采文化股份有限公司
初版發行｜ 2021 年 7 月 16 日　　定價｜ NT$420
　　2 刷｜ 2021 年 8 月 20 日